D0351985

LA VACHE MULTICOLORE

Henriette Jelinek est née en 1923 dans les Landes.
Psychologue, elle s'est spécialisée dans l'enseignement des mathéma-
tiques aux enfants qui semblent peu doués pour cette discipline.
Elle a fait ses débuts comme romancière en 1961 avec La Vache
multicolore. *Depuis, elle a publié cinq autres romans :* Le Gentil
Liseron *(1963),* La Route du whisky *(1964),* Portrait d'un séduc-
teur *(1965),* La Marche du fou *(1967),* La Vie de famille *(1969).*

Quand elle avait dix-sept ans et lui dix-huit, il ne lui avait prêté
aucune attention. Est-ce un instinctif désir de revanche qui incite
Hélène Lacaze à sourire à Paul Lartigue quand le hasard des
vacances les remet en présence quinze ans après ? De sourire en
promenade au clair de lune, leurs relations se nouent plus serré
et, les vacances achevées, ils s'écriront. Paul finira par demander
qu'Hélène l'aide à trouver un travail qui les rapproche. Pour cela,
il doit venir à Paris et s'installera provisoirement chez elle.
Or ce « chez elle » est en réalité l'appartement de Jacques Marceau
avec qui Hélène vit heureuse depuis sept ans. Alors, pourquoi s'est-
elle liée avec Paul qui se révèle aussi mufle que primaire dans tous
les domaines ? Pourquoi ne pas rompre en s'expliquant une bonne
fois ? Se débarrasser d'un parasite n'est pas toujours commode, certes,
mais c'est faisable. Quel secret se dissimule derrière la paralysie qui
les empêche de prendre une décision ? C'est ce que Henriette Jelinek explique dans ce roman où se dessine le portrait d'un très sin-
gulier trio qui — pour reprendre la formule de Nietzsche — a eu
le malheur de traire la vache Affliction.

HENRIETTE JELINEK

La Vache multicolore

GALLIMARD

PREMIERE PARTIE

A J. J. M.

Ceci se passait dans la ville que son cœur aimait et dont le nom est « la Vache multicolore ».

NIETZSCHE

UNE longue et mince silhouette, des cheveux très noirs, un œil aux reflets mordorés. J'ai stoppé. Il est arrivé à hauteur de la portière ; j'ai baissé la glace et lui ai lancé :

« Bonjour, monsieur Lartigue. »

Il s'est penché, je l'ai vu faire des efforts pour mettre un nom sur mon visage.

« Excusez-moi..., c'est bête... je connais votre visage mais...

— Hélène Lacaze.

— Non ! pas possible ! »

Lui n'avait pas perdu l'accent du Midi.

« Venez... viens prendre un pot ! »

Et il monta dans la voiture. Je lui présentai ma sœur. Devant trois verres de bière brune, il y eut un silence. C'est ma sœur, à qui le silence est insupportable, qui a parlé la première :

« Vous savez, votre photo est toujours à la maison. Je vous reconnais maintenant. »

Il a cherché à se rappeler. Je suis venue à son aide.

« Mais oui, une photo que tu avais envoyée d'Abidjan. Es-tu toujours aviateur ?

— Non, depuis des années. Je vends des voitures maintenant.

— C'est un métier où on gagne de l'argent, paraît-il, a dit Gilberte.

— Hum ! ça devient difficile... Mais depuis combien de temps ne t'ai-je pas vue ?

— Je ne sais pas.

— Au moins douze ans. Et où habites-tu ?

— Paris. »

Il a fait la grimace.

« Paris, quelle idée ! J'y suis allé une dizaine de fois seulement, pour affaires, mais je ne pourrais pas y vivre.

— Marié ?

— Oui, deux fois.

— Tu n'as pas perdu de temps.

— Non, et toutes les deux envolées !

— Sans blague ? »

Il semblait à l'aise.

« Oui, la première était une Algérienne, une sage-femme qui se droguait ; nous sommes restés huit jours ensemble, le huitième, j'allai rejoindre mon escadrille, ne comprenant pas pourquoi je m'étais marié. Elle ne m'a plus revu.

— Et la deuxième ?

— Lyonnaise triste, petite bourgeoise qui voulait son confort.

— Machine à laver et Frigidaire ? »

Il a ri.

« A peu près cela. C'est elle qui est partie, détestant désormais tous les gens du Midi.

— Parce que tu habites ici ?

— Oui, mon père est mort et je n'ai pas voulu abandonner ma mère. »

Il y a eu un nouveau silence. Ma sœur a commandé un verre de rouge. Elle buvait comme papa : même façon de lever le verre et d'avaler d'un trait, l'air satisfait.

« C'est la vie, tout ça, a-t-elle dit, sentencieuse. On ne peut pas dire que vous avez eu de la chance. »

Il s'est rebiffé :

« Mais je m'en fous. Je me trouve assez bien tout seul. J'ai fait un pari, il y a deux ans, avec quelqu'un qui m'a dit : « Toi, tu ne resteras jamais tout seul. » J'ai gagné mon pari. »

Je le regardais attentivement. La lumière du bistrot tombait sur ses rides et les accentuait. « Un drôle de coup de vieux », ai-je pensé. Il parlait en relevant ses genoux très haut. Ma sœur a commandé un autre verre de rouge. Il a semblé un peu surpris.

« C'est bon le vin du pays.

— Parce que vous êtes aussi à Paris ?

— Bien sûr. Qu'est-ce que vous voulez qu'on foute ici avec... »

Le vin la pousse aux confidences. Je l'ai interrompue vivement.

« Il faudrait rentrer.

— Mais je ne veux surtout pas vous retarder. »

Il s'est levé et s'est tourné vers moi :

« Tu es là pour longtemps ?

— Un mois.

— On pourrait se revoir ?

— Mais oui.

— Quand ?

— Peut-être jeudi.

— Entendu, ici même, à la même heure. »

Nous l'avons laissé sous la pluie ; les gouttes brillaient dans ses cheveux frisés.

« C'est ton fameux tombeur ? a dit Gilberte.

— Oui, vieilli. C'est curieux d'avoir des rides aussi prononcées.

— Et des dents pourries. Il lui en manque devant.

— Tiens, je n'avais pas remarqué.

— Il nous parlait avec sa main devant la bouche. Tu sais, moi, les dents, je les vois tout de suite ; avec tous les ennuis que j'ai eus de ce côté-là ! »

Je me souvins d'une promenade près des arènes de Bayonne. Il avait essayé de m'embrasser. Je lui avais dit :

« C'est comme ça qu'on fait des enfants. »

Il m'avait lâchée, dégoûté. Il couchait avec toutes mes amies. Je me rappelai l'une d'elles, genre Mireille Balin, une actrice de cette époque-là. Ils s'étaient promis de s'épouser. Puis je me souvins d'une autre, manucure, à qui il avait dit un jour : « J'ai envie d'aller dans les bras de Morphée », et qui avait répondu : « Qui c'est ça, Morphée ? » J'ai souri toute seule.

La maison était encore allumée. Ma mère hurlait : « Salaud, fainéant, me faire ça à moi ! Lève-toi ! Va au pot ! »

Mon père avait encore bu. Il ne démarrerait pas du lit avant d'avoir vomi.

Ma sœur a monté l'escalier en criant :

« Mais tais-toi donc ! Qu'est-ce que ça changera que tu le houspilles ? »

Elle essayait de lever mon père. Je suis montée, moi aussi, mais je me sentais écœurée.

Il était debout, sa main posée sur le bas de la chemise en un dernier geste de pudeur. Il grelottait sur ses jambes maigres et couvertes de poils.

Ma mère, d'en bas, hurlait toujours :

« Alors, tu vas rester comme ça ? Non, mais des fois ! Tu t'admires peut-être, ou tu admires ton ouvrage ! Porc, va ! »

Elle nous a rejoints et, énergiquement, a soulevé l'édredon. Quelques morceaux blancs s'étaient accrochés à l'étoffe cerise.

« Il s'en fout, lui ! Demain, il fera son délicat. Parce que *moi*, je suis sale ; je ne sais pas laver une assiette.

— Calme-toi, maman, a dit ma sœur, en essayant d'entraîner mon père.

— Bien sûr, toi tu n'es pas là pour essuyer ses

conneries. Moi aussi je m'en foutrais si je ne le voyais que de temps en temps.

— Mais je vais le laver.

— Je t'en prie, emmène-le, car je le zigouille. »

Mon père s'est révolté :

« Méchante femme ! »

Mais il s'est laissé emmener, non sans grommeler : « Tu vois comment elle est, ta mère !

— Comment je suis, comment je suis, disait maman, il le sait bien comment je suis, depuis trente ans qu'il m'emmerde. »

J'entendais l'eau de l'arrosoir en bas et ma sœur qui disait :

« Assieds-toi là, papa, je vais te laver... Mais non, n'aie pas honte. J'en ai soigné assez à la clinique.

— Fous-lui plutôt la tête dans la bassine », a crié maman, en riant nerveusement.

J'étais plaquée contre le mur, immobile. La tapisserie verte se balançait devant moi. J'avais la nausée.

Ma mère a dit :

« C'est l'édredon qui me fait deuil. Comment je vais rattraper ça ? »

J'ai haussé les épaules :

« Bah !

— Tu ne comprends pas que c'est de la marchandise de perdue ! Et toujours pour son putain de vin. Il s'en fout, lui ! D'ailleurs, il ne l'a pas payé, cet édredon. C'est ma mère. Si elle le voyait comme ça l'abîmer, je crois qu'elle lui foutrait à la figure, d'autant plus qu'elle ne pouvait pas le sentir. A plus forte raison ! Encore, la satinette, au diable, mais le duvet, s'il est mouillé ? »

Elle arrachait les draps.

« Tiens, si ce n'est pas honteux. »

Je ne pouvais pas regarder. Mon regard a accroché l'armoire. J'ai dû détourner les yeux car la glace de l'armoire me renvoyait le lit :

« Va me chercher la serpillière et un seau d'eau. »

Dans la cuisine, ma sœur le lavait. Lui, sa chemise serrée entre ses genoux, se laissait faire, passivement, prostré sur une chaise près de la cheminée.

« Il faut à tout prix que je lui coupe les ongles. Ces pieds ! m'a-t-elle dit en me prenant à témoin. C'est insensé de se laisser aller pareillement. On aura tout vu dans cette baraque. »

J'ai encore détourné les yeux.

Lorsque je suis remontée, maman s'était calmée mais elle montrait une figure fermée, le front traversé de rides et l'œil assassin. Je préfère encore ça à sa bave, lorsqu'elle est en colère, et aux milliers de postillons qu'elle vous envoie dans la figure. Si elle pouvait coordonner ses idées, ce serait un orateur extraordinaire. Maintenant, elle calmait sa colère en frottant le bois du lit.

« Je vais me coucher, ai-je dit.

— Oui, oui, ça vaut mieux pour toi. Il nous a fait un beau cadeau. Si j'avais autant de billets de mille que de lavages que j'ai endurés, je serais la plus riche de la commune. »

Est-ce qu'ils s'étaient aimés ? Et comment ont-ils pu traîner pendant trente ans dans cette atmosphère de désordre où maman crie toute la journée, insensible à la table toujours chargée de verres et d'assiettes sales ? Jamais un repas pris ensemble. Chacun se servait quand il pouvait et quand il y avait quelque chose. Pendant les années de guerre, toutes les vacances, nous les avons passées chez des fermiers pour récolter le maïs. En échange, nous mangions du jambon et des cuisses d'oie. C'était le paradis, sauf les jours où papa apportait du vin qu'il cachait aux Allemands en le mettant dans des chambres à air d'auto. Titubant sur son vélo, il descendait une côte abrupte qui menait à la route nationale sans même se donner la peine de freiner. Il revendait la moitié de ce vin sentant le caoutchouc et l'argent qu'il touchait était utilisé à boire du vin ne sentant pas le caoutchouc.

« Ton père sait boire, me disait le fermier, c'est un drôle de phénomène. »

Je ne répondais pas et m'en allais sur un banc près du puits. Je rêvais que je partirais un jour très loin et qu'ils ne me reverraient pas. Dans un pays étranger, ce serait encore mieux, je ne serais pas obligée de revenir pour leur enterrement. J'enverrais une couronne très belle, parce que j'aurais de l'argent. Je ne les imaginais ni vieux, ni malades ; non, ils disparaissaient tout simplement.

C'était des discussions sans fin à la maison.

« Tu finiras comme ton père, c'est la race. »

Je montais dans ma chambre, non sans avoir raflé un pot de confiture que je mangeais jusqu'à avoir mal au cœur. Il avait fallu que je vole pour cela la clef du buffet. Une fois, maman la cherchait depuis un moment lorsque le curé est passé pour la Confrérie. C'était un passionné du pendule. J'étais près de lui, le pendule tournait, tournait sans arrêt. Le pauvre homme s'épuisait à dire : « Elle n'est vraiment pas loin. » Je n'ai rendu la clef que lorsque je n'ai plus supporté l'odeur de confiture.

Alors, je suis partie en camping sans permission. Au retour, maman avait l'air d'un justicier.

« Ta tante me disait d'aller au commissariat et j'y allais si tu n'étais pas rentrée. Tu marches sur les traces de ton père ; toutes les trois, vous lui ressemblez, des Lacaze ! Je ne sais pas ce que tu feras dans la vie, mais... »

Elle levait les yeux au ciel, invoquant la générosité de Dieu. J'ai haussé les épaules ; elle a saisi la cuvette qu'elle m'a envoyée en pleine figure.

Papa était là. Il m'a regardée de ses yeux malins et a passé sa main dans mes cheveux. C'était la première fois que je bénéficiais d'un geste de tendresse de sa part. Il nous ignorait ; nous n'étions que des filles. Il voulait un garçon mais le seul qu'il avait eu était mort. Il nous croyait liguées contre lui. « Elles ne peuvent pas me voir. » «C'est votre mère qui vous bourre le crâne. »

Lorsqu'il buvait, nous le regardions d'un air apitoyé. Chez moi c'était plutôt de la haine ; je ne rêvais que de lui faire mal. Il suivait tous mes mouvements mais ne me regardait jamais en face.

Parfois, il promettait de ne plus boire. Il se confectionnait une mixture, composée d'eau et de coco, un liquide jaunâtre. Ça m'a donné l'idée de remplacer le coco par de l'urine. J'étais persuadée qu'en le buvant il allait mourir et j'imaginais, après sa mort, une vie calme pour ma mère et moi.

Malheureusement, il n'en a bu qu'une gorgée, l'a recrachée en accusant ma mère de vouloir l'empoisonner :

« Tu veux te remarier avec le gendarme, je le sais. »

Ma mère ouvrait de grands yeux :

« Et pourquoi le gendarme ?

— Parce que je l'ai vu rôder dans le jardin ; il sait quand je dors et vos affaires, vous les faites en bas ; et c'est un gendarme parce qu'il vient en uniforme. Le fainéant, pas même se déshabiller pour venir vous faire cocu ! Seulement, méfie-toi ! Je ne veux pas être ridicule et je l'abattrai. Les pieux peuvent encore servir. »

Il a parcouru toutes les chambres et ouvert les fenêtres pour crier dans le jardin : « Je n'ai que des putains à domicile. » Il s'amusait à faire claquer les volets et se mettait au lit pour gémir :

« Je sens que je vais mourir.

— Un ange de plus au ciel », répondait maman qui se levait alors et descendait brancher la radio.

Mon père prenait un balai et il allait s'asseoir à côté d'elle, surveillant l'arrivée du gendarme.

Après une scène de ce genre, il nous évitait et partait sur son bateau avec son chien. Il y restait toute la journée et parfois même la nuit, sous prétexte d'une commande urgente de sable à livrer.

Ce prétexte lui permit d'ailleurs un jour d'être flanqué dans le Gave par maman qui lui avait auparavant asséné un coup de parapluie. Il était cinq heures du matin, un brouillard épais s'étendait sur les berges.

« Je n'arrivais même pas à voir s'il nageait, mais j'aurais tant voulu qu'il crève, racontait maman.

— Pensez-vous, il ne s'en ira jamais aussi simplement. Il est resté trois jours sur son bateau et n'est revenu que pour vomir dans le lit. »

Je ne comprenais pas pourquoi il se contentait de vomir dans le lit et non sur maman.

Le passé me reprenait à la gorge. Je sentais qu'il fallait encore fuir mais où, finalement ? Puisque je revenais, dès que j'avais un congé, dans cette maison pour les voir vivre, me repaître de cette atmosphère, me raidir devant les cris de maman, échanger trois mots avec mon père, aussi peu décidé que moi à parler et qui ne me pardonnait pas la bouteille que je lui avait jetée en pleine face, un jour qu'il avait mis tous les couteaux de la maison à ses pieds et qu'il les faisait garder par le chien. Il menaçait de nous tuer, prenait un couteau qu'il passait contre son cou ; il riait en hoquetant lourdement. Je ne sais combien de temps nous sommes restées immobiles, jusqu'au moment où mes nerfs ont cédé. La bouteille est passée en sifflant contre ses oreilles et ça l'a dégrisé.

Il regardait, hébété, le couteau. Maman en a profité pour se pencher et saisir tous les autres. Elle s'est enfuie dans le jardin.

Etendue sur le lit, les images du passé revenaient en masse, m'assiégeaient.

Finalement, je me suis endormie.

TROIS jours après, je me suis rendue au petit bar ; ma sœur m'avait suivie. Paul a paru trouver cela très bien et j'en ai été vexée. « Ce sera comme autrefois, il va s'envoler avec elle. »

Nous avons parlé politique.

« Et que dit-on à Paris, de Poujade ? »

Ma sœur a haussé les épaules.

« Un pauvre type.

— J'ai voté pour lui. Il y en a assez des socialistes qui mènent la France à la ruine. Je ne peux pas les sentir : ils ont vendu l'Indochine, ils s'apprêtent à bazarder le Maroc, et la Tunisie suivra. Voilà les conneries que peut faire la République ! »

Ce n'était pas du goût de ma sœur.

« Ne croyez pas que je sois communiste. Je l'ai été, mais quand j'étais dans la merde tous les copains se sont envolés. Alors, c'est fini, et bien fini ! Mais tout de même, on devrait leur laisser la liberté, à nos colonies ; j'ai un ami docteur qui me disait qu'il ne pouvait soigner les Arabes faute de médicaments ; pas d'hôpitaux, pas d'écoles ! Pourquoi ne seraient-ils pas comme nous ?

— Parce qu'ils ne sont pas comme nous.

— Ne me faites pas rigoler.

— Mais je ne vous fais pas rigoler.

— En réalité, nous ne pensons qu'à les exploiter. »

Elle était lancée :

« Et à qui est le sol, dans les colonies, hein, je vous le demande un peu ? A eux, non ? Alors qu'on le leur laisse !

— Mais ils ne veulent rien foutre. »

Il voulait la convaincre.

« Ah ! ça, je vous demande pardon ; j'ai des amis à Paris, des Kabyles très travailleurs. Il y en a même un qui m'a fait une penderie et elle est très bien faite, croyez-moi.

— Mais il ne s'agit pas de ça...

— Et pourquoi ? Vous, ça vous gênerait qu'on leur rende ce qui est à eux ? »

Je me suis interposée.

« Les premiers occupants connus étaient les Carthaginois, alors rendons la Tunisie au Liban ! »

Ce raisonnement leur a paru aberrant à tous deux.

« Tu parles de ce que tu ne connais pas, a dit Gilberte. Ne me fais pas rigoler, tiens ! Ça, ce sont des discours à la Marceau ! Evidemment, Marceau, qu'il ne va pas tenir pour les Arabes, son père en a tué des milliers et il a passé tout son temps à tabasser les communistes qui ne lui demandaient rien.

— Mais alors, qu'est-ce que vous voulez ? a dit Paul.

— Qu'on les laisse tranquilles. Ils construiront eux-mêmes leurs hôpitaux pour soigner leurs gosses, et les écoles ; et puis, quoi, il faut bien le dire, ils ne sont pas aussi bêtes qu'on le croit en France. »

Un éclat de rire de Paul l'a arrêtée net.

« J'ai l'impression que vous les connaissez très bien.

— Parfaitement, oui.

— Vous les avez vus, chez eux ?

— Non, mais c'est tout comme ; les copains musulmans m'ont donné assez de précisions.

— Faux, archi-faux, ce sont des paresseux et vous pourrez longtemps les attendre, leurs hôpitaux et leurs écoles !

— Parce qu'on les bride, on les empêche de se gouverner eux-mêmes. Alors, que voulez-vous qu'ils fassent ? »

D'excitation, elle lui a fichu une bourrade. Paul s'est frotté le bras et a dit :

« Vous plaisantez, non ? Vous voulez me faire marcher ? »

Ma sœur l'a regardé avec de gros yeux ronds :

« Je suis sincère, je n'ai pas l'habitude de plaisanter sur les problèmes sociaux. »

Paul a paru éberlué.

« Mais comment parler de ces choses-là sans les avoir vues ? On dirait que vous plaisantez. »

— Parce que, selon vous, les témoignages de mes amis ne sont pas suffisants ? Ils m'ont édifiée : ils veulent leur indépendance.

— Mettons, a concédé Paul. Mais le Sahara ?

— Le Sahara ! Mais il est aux Arabes ! Avec le pétrole qu'il contient, ils peuvent vivre.

— Le Sahara ! Non, mais ! Le Sahara est vide. Qui donc y travaille, si ce n'est nous, les Français ? »

Ma sœur a voulu faire une concession :

« Ne nous fâchons pas, mais vous n'êtes pas très renseigné.

— Mais j'y suis resté plus de cinq ans en garnison.

— Oh ! en garnison ! On ne voit pas grand-chose. Il faut se mélanger au peuple, pour le connaître !

— Mais le Sahara est désert !

— Les indigènes n'ont même pas un morceau de savon pour se laver. »

Paul a ri nerveusement.

« Oh ! le savon... »

Ma sœur fonçait :

« Quant au Sahara, le copain de mon mari a fait un très beau poème dessus : « Les scorpions mar- « chent dans le désert, marchant comme des aveu- « gles... »

Paul a paru insensible à la poésie moderne.

« Je crois que votre Algérien était un con... »

Il a tapé son front du doigt.

« Ou alors qu'il était né en France.

— Ah ! ça, par exemple, je peux vous dire que non !
Un pur Kabyle, de race, et très intelligent, et très
doué. Mon mari disait qu'il ferait son chemin.

— Comme un scorpion qui marche dans le désert,
ai-je lancé.

— Oh ! toi, ça va, tu ne crois jamais rien ; en tout
cas, je l'ai vu, ce poème et Patrick — c'est mon mari,
a-t-elle dit en se tournant vers Paul —, disait qu'il
était très remarquable. »

Elle a bu un nouveau verre de rouge. Paul a
commandé une deuxième bière. Je suis redevenue
silencieuse sur ma chaise.

« Enfin, a-t-elle conclu, chacun ses opinions. Poujade, c'est un pauvre paumé. Ce n'est pas lui qui irait
garder des moutons sur les plateaux de l'Aurès
comme le faisait le grand-père de notre copain. Lui
aussi était un berger et il a su s'élever tout seul.

— Evidemment, sur un plateau, a raillé facilement
Paul.

— Tiens, vous me faites rire.

— Je vous assure que je ne tiens pas à vous faire
rire, mais pas du tout.

— Ah ! la la ! ce que vous êtes sceptique ! Vous ne
devez pas avoir beaucoup vécu. Allons, soyez optimis-
te ! « Le rire, c'est le propre de l'homme », comme
disait Rabelais, tout le reste..., « de la comédie
« humaine », comme disait Balzac. »

Elle était ivre.

Il avait pris une figure ennuyée. Il a dit, en s'adres-
sant à moi :

« Viens donc prendre un café à la maison. »

Ma sœur nous a suivis encore, déclamant pour elle
seule un discours sur les Russes, que Tito n'intimi-
dait pas du tout, vu qu'il était très faible, que les

Américains s'en foutaient éperdument et qu'il pouvait se méfier.

Le silence hargneux de Paul ne l'atteignait pas.

« Tout ça, mon vieux, c'est pour vous dire que nous sommes parfaitement au courant, mon mari et moi ; et d'ailleurs nous avons des amis slaves bien informés. Vous êtes sympathique et si vous avez besoin de quelque chose... »

Paul a eu un geste évasif. Puisqu'il était impossible de se dégager, j'ai brusqué les adieux.

« C'est incroyable, comme il est, m'a dit Gilberte dans la voiture. Un provincial. On sent qu'il ne sait rien.

— Tu crois ?

— Il n'y a pas à dire, Paris vous dégourdit son homme. Tu te rends compte, si nous en étions encore à ce stade ! Pourtant, il est gentil. »

Deux jours après, au même bar, j'ai trouvé Paul attablé avec un Chinois. Il jouait à la belote.

« Prends donc un verre, m'a-t-il proposé, je n'en ai que pour quelques minutes. »

Il paraissait tout à coup pressé d'en finir.

« Allons nous promener », a-t-il dit trois minutes plus tard en se levant.

C'est lui qui a conduit l'auto. Il a freiné brutalement dans un petit chemin.

« Encore un petit lapin sauvage qu'il ne faudrait pas écraser. »

Il a stoppé.

« Quel âge as-tu ?

— Moi ! Trente et un ans.

— Ce n'est pas possible ! Mais alors, quand tu avais dix-sept ans, je n'en avais que dix-huit ?

— Eh, oui !

— Curieux ! Je t'ai toujours prise pour une gamine.

— C'est pour cela que tu me préférais les autres. »

Il a ri mais a paru un peu choqué.

« Oh ! non, ce n'était pas ça. »

Il a eu un geste vague :

« On avait l'impression que toi, tu préférais le chocolat. »

C'était à mon tour de rire.

« Tiens, un autre lapin pris dans les phares de la voiture. »

Il a éteint. Il m'a regardée en souriant :

« Tu sais à quoi je pense ?

— Non.

— A autrefois. C'est aussi doux qu'autrefois quand je te prenais par les épaules. Il me semblait que tu étais ma petite sœur.

— Tu n'en as pas ?

— Non, mais j'aurais bien aimé. »

Nous sommes restés un moment silencieux.

Je sentais qu'on entrait dans un jeu dont je ne prévoyais pas la fin. Je voulais qu'il s'intéresse à moi.

Au retour, en le laissant sur la place déserte, comme il me tendait la main, je me suis avancée :

« Tu pourrais m'embrasser comme autrefois ? »

Il l'a fait et j'ai vu que ça lui faisait plaisir.

« Viens donc prendre l'apéritif à la maison, demain à midi. »

Il a accepté.

Papa, en me voyant rentrer, m'a demandé :

« Quand pars-tu ?

— Pas encore. »

Nous nous en sommes tenus là, mais nous avions tous les deux compris.

Il en a parlé à maman.

« Ton père grogne à cause de ce garçon. Il a une très mauvaise réputation. Tu sais comment IL est ? »

Je m'en doutais. Peu lui importait, à mon père, que tout Bayonne le connaisse, lui se jugeait bien et critiquait tous les autres. Notre « réputation », elle était bien établie ! On se rappelait toujours son trafic d'essence avec les Allemands (des Polonais, disait-il). Il en avait même invité un, en plein midi, pour que tout le quartier le voie. Les fûts, il les passait également en plein jour, à la barbe des sentinelles, grâce au petit âne de ma grand-mère, et revendait l'essence à des marchands de cochons qui, le lendemain de la Libération, furent tous résistants. Pour éviter qu'il parle, on l'avait rossé et laissé pour mort dans un fossé. Six mois d'hôpital, congestion cérébrale. Il divaguait du matin au soir, nous accusant de partir dans une roulotte de bohémiens et de le laisser seul. Il devait mourir, mais il était toujours là. Avant la rossée, il venait de passer six mois en prison pour vol de sacs de son chez un minotier. J'avais eu le plaisir de le voir partir avec les menottes.

Je le croyais enfermé pour toujours. On ne le reverrait pas. Son retour de prison avait été pour moi l'occasion d'un gros chagrin. Maintenant, il mendiait du bois qu'il allait revendre et il faisait quelques balais de bruyère, refusant systématiquement de donner le moindre argent à maman. Le reste de son temps il se mettait devant la maison, observant les allées et venues et se préoccupant surtout de la réputation des gens.

« Ne t'en fais pas, a conclu maman, il mourra fou comme l'autre. »

L'autre, c'était mon oncle, revenu au pays complètement gâteux.

« A QUOI penses-tu ? m'a demandé Paul, qui me conduisait vers Biarritz.

— A rien. Je rêvais. Sais-tu que je suis née sous le signe de la Lune ? Ça explique tout.

— Tu y crois, toi ?

— Non. »

Il n'a pas insisté.

Nous avons dansé dans une petite boîte proche de la mer. Pendant qu'il était aux toilettes, on m'a invitée. Au retour, je l'ai vu me chercher d'un air inquiet.

Lorsque je suis revenue, il était assis, l'air ennuyé. Ses sourcils se rejoignaient pour former une barre têtue.

« Je ne voudrais pas que tu danses avec d'autres que moi. »

Cette réflexion m'a rendue heureuse.

« Parce que tu es jaloux ? » ai-je répondu en plaisantant.

Il s'est obstiné.

« Non, je ne suis pas jaloux mais tu es avec moi ; ce n'est pas parce que je me suis absenté cinq minutes...

— Tu ne risquais rien.

— Oh ! on dit toujours ça.

— Allons, allons, tu sais bien qu'aujourd'hui est un grand jour.

— Pourquoi ?

— Parce que je suis avec toi. »

La barre têtue s'est atténuée. Il a même souri et m'a entraînée sur la piste. Il me serrait comme s'il allait me perdre. Dans la voiture, il devint silencieux. Nous nous sommes arrêtés devant la maison. Je ne me sentais pas tranquille.

« Je vais aller me coucher. Garde la voiture, tu la ramèneras demain.

— Ne pars pas encore. »

Il s'est jeté à l'eau.

« Viens avec moi. »

Nous avons atterri dans une clairière de pins proche de la mer. Nous recevions des bouffées d'air salin. Les pins étaient dorés par une lune pleine.

« Hum ! Ce n'est pas un bon jour pour... »

Il m'a interrompue.

« Reste », ai-je soufflé.

Je voulais une victoire complète. « Tu sais, m'avait-il dit lorsque je lui avais demandé s'il avait des enfants, j'ai toujours pris mes précautions. Les enfants ne sont qu'une source d'embêtements. Tu me vois avoir eu des enfants de mes deux femmes ! J'y serais resté et j'aurais empoisonné toute ma vie. Comme ça, libre comme l'air. Que je bouffe ou que je ne bouffe pas, ce sont mes affaires, mais avec des enfants ! Brr ! rien que d'en parler, ça me fait froid dans le dos. Si on s'oblige à rester pour eux, on en fait des malheureux et si on s'en va, outre la pension, on en fait encore des malheureux. Au moins, comme ça... »

Ensuite, il s'est assis près de moi. Ses cheveux dressés étaient comiquement enchevêtrés. Il tenait ses genoux, dans son attitude familière.

« C'est curieux, tu vois, avec toi, ça ne me déplairait pas d'avoir un enfant. »

Je ne lui ai pas dit qu'il ne risquait rien, mon indisposition s'étant terminée la veille.

« Tu as eu du courage, ai-je dit.

— Oh ! avec toi, j'ai confiance ; tu seras toujours la petite fille de mon enfance. »

Le clair de lune tombait sur ses rides et ses yeux brillaient.

« Tu sais à quoi je pense ?

— Non, mais je vais le savoir.

— J'ai un copain, curé dans un bled du Béarn, tu vois le genre : 300 habitants, et ce curé est très moderne. Il quitte la soutane quand il s'en va du pays, n'hésite pas à se taper une fille. Il est très bien, d'ailleurs, et je le comprends. Je suis passé à sa cure, un jour où j'allais voir un ancien métayer de mon grand-père. Entre parenthèses, ma mère a eu tort de laisser la propriété à sa sœur. Pour ce qu'elle en fait ! Enfin, ça c'est une autre paire de manches. Donc, on est devenus copains comme cochons avec le curé en buvant de l'armagnac. Il m'a même proposé de faire de la contrebande pour lui. Il suffirait d'acheter une vieille traction d'une centaine de mille francs, de faire une planque, double fond à la bagnole, et de transporter des tubes d'acier. On gagne un argent fou, une soixantaine de mille francs à chaque voyage. Ça me séduirait assez.

— Fais-le, c'est une bonne idée.

— Oui, mais il me manque les fonds au départ, et si je me fais saisir la voiture la première fois, c'est la catastrophe.

— Ne pense pas trop aux conséquences, sinon tu ne feras rien.

— Il faut quand même prévoir. Est-ce que tu reviens, dans trois mois, pour les grandes vacances ?

— Bien sûr.

— On pourrait le faire tous les deux.

— Tu veux la voiture ?

— Oh ! non, pas celle-là. Elle est trop neuve. Tu ne vas pas laisser saisir une voiture de 500 000 francs ? »

Il s'est mis à rêver.

« Pourtant, je continue à dire que c'est séduisant, d'autant plus que tu n'as pas grand-chose à faire. Tu charges en France, tu déposes en Espagne. Sans t'occuper de rien. Un transport, c'est tout. Il n'y a qu'un danger : c'est le passage trop fréquent. Les douaniers te repèrent et ils connaissent toutes les astuces. Pour le curé, c'est commode, on n'ose pas trop. Il y a quelque chose qui retient les douaniers, surtout du côté espagnol. Il est peinard, lui ! Ici, il n'abandonne pas sa soutane, elle lui sert trop. Et ce qui est marrant, c'est que tout cet argent, il le reverse sur l'église. Il a fait refaire la toiture, acheté un harmonium neuf, et les paroissiens ne jurent que par lui. Les femmes des communistes du bled ont entraîné leurs maris ; il fait éditer un petit journal. Il est inouï, ce curé. Quand il passe en Espagne, il arrive que quelqu'un meure. Ils sont affolés sans leur curé mais lui s'arrange toujours pour les calmer. Le mort attend que les tubes d'acier soient en lieu sûr. Tu sais, la combine s'étend loin. Le centre est à Paris, il y a une succursale à Bordeaux. Je me demande bien comment il a connu le truc. Enfin, il dit que je suis le type qui lui convient : entreprenant, je-m'en-foutiste. Ce qui me fait un peu peur, c'est l'argent au départ. Cette histoire m'a donné le goût de l'aventure.

— Passionnant, il faut le faire.

— Oui, on peut le faire. Pendant les grandes vacances, il passe un monde fou, les douaniers font moins attention. Il faut que je mette la main sur une vieille traction et m'occupe d'un double fond. Tu veux vraiment qu'on le fasse ?

— Et comment !

— Bien, après ton départ, je m'occupe de tout et je te tiens au courant. »

QUELQUES jours plus tard, j'ai regagné Paris. Je l'ai laissé la veille sur la place et il ne pouvait se décider à partir. Deux fois il est revenu vers l'auto pour m'embrasser.

« Tu m'écriras ?

— Oui.

— Bien vrai ?

— Vrai. »

J'ai écrit. Il me répondait régulièrement, une lettre tous les jours.

J'ai vu un de ses amis de Paris, qui m'a dit : « Le mieux, pour lui, serait que vous vous mariiez. » Je lui ai transmis ce conseil, mais j'ai émis quelques réticences : « Que j'aimais être indépendante, que le mariage était trop dangereux et qu'il valait mieux rester comme nous étions. » Il a été froissé. Sa réponse a été sèche : « Je n'ai pas plus que toi l'intention de me marier. » Au bout d'un mois, il m'a demandé si je pouvais lui trouver du travail, comme visiteur médical, par exemple, dans la région de Tours, ce qui lui permettrait de venir passer les week-ends à Paris.

J'avais retrouvé l'appartement en désordre et un petit mot de Jacques sur la table : « Je reviendrai dans quelques instants. » Lorsqu'il est arrivé, je me suis jetée dans ses bras. C'est lui qui était tout pour moi, et c'était le seul qui aurait compris pourquoi la lune pleine allait me porter malheur.

« C'est un peu d'angoisse, aurait-il dit, tu t'effraies trop. »

Le soir même, j'ai rêvé que mon père mourait. Trois hommes me commandaient de le tuer. Je savais qu'ils s'attaqueraient à moi si je ne le faisais pas. J'étais enfermée dans une vieille baraque, le vent soufflait. Il y avait un trou dans le plancher. Un morceau de bougie m'éclairait, une chouette hululait et je tremblais. J'avais dit oui mais je ne voulais pas tuer mon père, jamais.

Je répétais, *jamais, jamais*, tout en rampant vers la trappe. Du foin s'accrochait à mes cheveux et j'ai failli hurler... lorsqu'un rat énorme a dévalé près de moi. Je rampais toujours lentement et je LES entendais parler. Ils ont cogné un verre.

« Encore du vin rouge », ai-je pensé.

L'échelle était là. J'arrivais dans un grand couloir ténébreux. La chouette hululait plus fort. « Du malheur », aurait dit maman, en pointant son doigt vers un arbre du jardin. Je me cognais aux murs ; le

couloir n'en finissait jamais. Tout à coup, une grande
éclaircie, une prairie très claire et dorée.

Je me réveillai en sueur et me suis dressée.

« Qu'as-tu ? » m'a demandé Jacques dont le sommeil est très léger et qui lui aussi a l'habitude de se
réveiller très souvent en criant : « Quoi ! Qu'est-ce
qu'il y a ? »

« Je rêvais qu'on me commandait de tuer mon père.
— C'est classique. »

Je me suis rendormie.

Il était déjà parti quand je me suis réveillée. Je
regrettais qu'il ne soit pas là. J'aurais voulu lui parler de mon aventure. Eloignée de Jacques, je n'avais
aucune difficulté à envisager une nouvelle vie, mais
dès que je le voyais, j'imaginais qu'on allait me le
voler et je me faisais l'effet d'une poule qui veille
sur son poussin. Tous les Paul du monde s'estom-
paient, avec les clairières et tout le jeu des vacances.
La vie avec Jacques était revenue et balayait tout.

Mais alors, que faire ? J'avais laissé là-bas quelqu'un
qui comptait sur moi. J'avais peur qu'il souffre et je
me jugeais responsable. Je pensais à des dés qui
roulent doucement dans la main. Je m'accrochais.
Sans Jacques, qu'est-ce que je deviendrais ? Je glis-
sais vers un malentendu que rien ne pourrait arrêter.
Personnellement, je n'avais aucune force et Jacques
me dirait :

« Il n'arrive que ce qui doit arriver. »

Il était trop freiné lui-même pour être d'un vrai
secours.

Il aurait suffi qu'il me prenne par la main et me
dise :

« Mon petit, assez de blagues ; nous n'en avons que
trop fait. »

Un an avant, il avait eu une petite fille. Il versait
une pension et je le sentais bourrelé de remords. Il
ne m'en avait jamais parlé, sauf une fois, quand la
mère m'a écrit pour me demander conseil. Je l'avais

vue trois ou quatre fois et nous avions bavardé sans
entrer dans le vif du sujet. Elle attendait un enfant,
elle ne demandait rien, elle ne voulait forcer personne. Maintenant, elle avait un fibrome et le chirur-
gien ne lui avait pas caché que, si on l'opérait, elle
perdrait l'enfant. Elle me demandait ce que j'en
pensais. Je ne me frappai pas du caractère insolite
de cette demande. Jacques m'avait trop habituée à
savoir que tout est possible ; et pourquoi pas, d'ailleurs ?

J'ai voulu être généreuse. Franchement, je désirais
que cet enfant aille au diable, mais une attitude
orgueilleuse ne me déplaisait pas : « Je joue mes
petits Corneille », ai-je pensé, le cœur gros. Je lui
demandai donc de réfléchir longuement, de peser le
pour et le contre et je terminai avec une grande sin-
cérité : « N'oubliez cependant pas que pour Jacques, la
venue d'un enfant lui fait songer à une création ; c'est
considéré par lui comme d'avoir fait un bon poème,
mais il ne peut être heureux qu'un moment. »

J'ai tendu cette lettre à Jacques, qui travaillait dans
son bureau. Il m'a regardée pensivement :

« C'est exact ; comment sais-tu cela ?

— Parce que je le sais.

— C'est très bien. »

Il n'y a jamais eu entre nous de longues explications, sauf lorsqu'il voulait me faire sentir la gran-
deur d'un livre ou la force d'un tableau : chiens de
même race, aussi démunis, aussi sensibles, prêts à
nous sacrifier pour faire plaisir.

« Je suis un petit crabe recroquevillé sous une
petite carapace et toi, un crabe plus gros, recroquevillé sous une carapace plus grosse.

— Il y a du vrai dans ce que tu dis ; c'est un peu
cela, oui, en effet. Faire plaisir, pourquoi pas, après
tout ? »

En attendant, nous allions souffrir. Nous allions
prendre des responsabilités dont nous n'avions aucune

envie. L'égoïsme aurait recommandé la sagesse, ne pas bouger, être encore plus crabes qu'à l'habitude, mais « quand on n'est pas fort, on n'a qu'à crever », avait dit un maquignon dans un restaurant, tout près de moi, et je sentais que nous allions crever sans même savoir nous défendre.

J'étais prête à lui parler lorsqu'il est arrivé pour le déjeuner.

« Tu sais, j'ai trouvé un amoureux très gentil et très affectueux.

— S'il est affectueux, c'est très bien pour toi. Il te faut beaucoup d'affection pour pouvoir vivre.

— Il n'y a pas que cela. Il n'est pas comme nous. Je le sens fort, non démuni devant la réalité. C'est le type qui rassure. Je crois qu'il peut gagner facilement de l'argent, qu'il n'y a plus qu'à se laisser bercer. Il raconte des histoires de contrebandiers, il vous entraîne. J'aime bien ça, tu comprends. Il a quelque chose de très important : il supprime ma peur. Je me sens prête à m'embarquer avec lui pour une terre aussi stérile que la Terre Adélie. Il n'y a que des pingouins mais je sais qu'il trouverait le moyen qu'on ne manque de rien. Tu vois ce que je veux dire ?

— Oui, je vois parfaitement. D'après ce que tu dis, il est évident qu'il est très différent de moi. »

Mais je n'ai pas tout dit.

Les lettres de Paul arrivaient toujours nombreuses, nourries de tendresse, de promesses, d'avenir facile.

Je répondais lâchement que j'avais confiance et que l'avenir serait merveilleux.

Les jeux étaient faits. Eve, mon amie, à qui j'avais fait part du désir de Paul de « voyager » dans le Bassin Parisien pour le compte d'un laboratoire pharmaceutique, m'a téléphoné :

« Venez, Jacques et toi, ce soir. »

Elle a parlé d'un grand laboratoire de Marseille qui pourrait le prendre.

« Il faudrait que mon mari se débrouille. C'est lui qui peut faire quelque chose.

— Je sais qu'il aura les plus grandes difficultés à s'en occuper, car son caractère le rend malheureusement incapable de venir en aide à quelqu'un. »

Enfin, là, on ne lui demande qu'à donner un coup de téléphone, a répondu Jacques.

Trois jours après, elle m'appelait :

« J'ai eu de la peine à le décider, mais c'est fait. C'est surtout la réflexion de Jacques, que je lui ai répétée, qui l'a excité : « De quoi se mêle-t-il, celui-« là ? C'est inadmissible de vouloir m'obliger à ren-« dre service à un type que je ne connais pas. » Je lui ai répondu que, même pour un grand ami, il ne le ferait pas davantage. Enfin, ça y est. Mais il faudrait que ton ami vienne au siège, à Paris, puis à la maison-mère, à Nice. On veut le voir avant de l'engager.

Il était là deux jours après. Jacques et moi nous sommes allés à la gare. Jacques a très peu parlé, mais conduisait très vite.

Les difficultés ont commencé lorsqu'il a fallu se coucher.

« Tu viens avec moi », a soufflé Paul, que j'avais installé dans la chambre du fond.

Une petite supplication dans les yeux a été la seule demande de Jacques.

« Me voilà fraîche ! Que faire ? »

Si j'ai choisi d'aller avec Paul, c'est que je savais que Jacques comprenait au-delà de tout ce que je pouvais lui expliquer. Lui, Paul, ne comprendrait pas. « Mais tu ne m'as tout de même pas fait venir à Paris pour coucher dans le lit d'un type avec qui tu ne couches pas. Remarque que je te crois sans preuves ! Mais alors, il ne va tout de même pas te reprocher d'être dans le même lit que moi qui couche avec toi ! »

Lui expliquer qu'on avait bien le temps et que c'était gênant pour moi, je ne savais pas le dire.

J'installai donc le fils de Jacques — exceptionnellement à la maison car, le lendemain, il passait un examen d'entrée au lycée — dans la chambre au fond du couloir.

Je n'ai pas dormi de la nuit et au petit matin, enfin assoupie, je n'ai pas su me lever ! Le fils de Jacques m'a réveillée. Il s'est enfui mais je l'ai rattrapé dans le couloir. Au même instant, Jacques sortait du bureau. Il a constaté de sa voix sans éclat :

« Ennuyeux qu'il soit allé ouvrir cette porte. Avec ce qu'il a vu, nous sommes assurés du résultat.

— Tu crois que...

— J'en suis sûr, il ratera son examen. »

L'enfant descendait les marches de l'escalier et s'est retourné à deux reprises pour me faire de grands gestes.

Paul, à qui je répétais les paroles de Jacques, tout en allumant une cigarette, s'est dressé sur un coude.

« Bah ! vous voyez tout en noir. Mais pourquoi, aussi, est-il entré dans la pièce ?

— ...et m'a vue couchée avec quelqu'un qu'il ne connaît pas ? Le hasard de la vie... »

J'ai fait un geste fataliste.

A L'HÔPITAL de Cannes, la mère de Jacques se mourait. Dans la chambre régnait une odeur de chair qui se décompose. Sa hanche n'était plus qu'un trou purulent. La sœur qui la soignait m'avait dit : « C'est une sainte, cette femme, et elle s'excuse encore quand elle est obligée de nous appeler... ; pourtant, seuls Dieu et elle savent ce qu'elle souffre. »

Son visage était émacié. Je ne reconnaissais plus la charmante dame qui coquettement se couvrait de gris pâle ; ses yeux bleus étaient enfoncés. Elle m'a accueillie avec un sourire crispé et cinq minutes après m'a demandé de la laisser seule. « Elle ne veut pas montrer sa souffrance », m'a dit la sœur.

Paul, que j'avais accompagné à Nice et qui ne disposait plus que de trois jours, son congé expirant au bout de ce temps-là, m'attendait dans l'auto en fumant.

J'étais crispée et il l'a senti :

« Bah ! nous partirons tous.

— J'ai vécu sept ans avec elle et la grand-mère de Jacques. Elle n'était pas méchante et je trouve injuste de souffrir ainsi.

— Viens donc prendre l'apéritif dans un endroit où il y a de la musique. »

C'était sur le bord de plage, il faisait un grand soleil.

« A quoi penses-tu ? m'a-t-il demandé en me regardant avec des yeux amoureux.

— A ce vieil air d'opéra-comique : « Les soleils « pourront s'éteindre et les nuits remplacer les « jours. » C'est ce soleil qui m'y fait penser, certainement.

— C'est moche ! Ecoute plutôt Philippe Clay ! »

Il a fredonné en mesure un air que jouait la boîte à disques et qui se terminait par : « A Car-Carcassone. »

« Je crois plutôt que c'est : « A Cannes, au « Carlton. »

— Non, tu te trompes, je la connais assez.

— Bon, remettons le disque. »

Nous avons écouté, l'oreille près de l'appareil. Il a poussé un cri de triomphe : « Tu vois, c'est bien « A Car-Carcassonne ». Et moi qui entendais toujours : « A Cannes, au Carlton ! »

— Ce serait plus plausible « A Cannes, au Carlton » ; ça va bien avec le type 1925 de la chanson.

— Et pourquoi pas « Carcassonne » ? J'entends ça, moi ! »

Il a fait appel au barman qui entendait la même chose que moi ; mais deux consommateurs hésitaient entre les deux versions.

« Oh ! et puis, ça n'a pas d'importance », ai-je dit.

Mais il n'était pas d'accord.

« Tu es sourde, je t'assure que j'ai raison. »

Il était donc têtu et susceptible car il en a reparlé pendant le repas. Alors j'ai affirmé qu'il devait avoir raison.

L'après-midi, je suis allée de nouveau à l'hôpital.

« Elle nous a demandé un calmant spécialement pour pouvoir vous parler. »

Elle reposait, un peu plus apaisée que le matin, et elle m'a demandé de lui masser la jambe. A un an d'intervalle, elle me demandait la même chose que sa mère : « Massez-moi, ma petite fille, ça me fait tant de bien. »

La jambe était brûlante et je n'osais approcher de la plaie.

« Ça ne vous fatigue pas, au moins, mon petit ?

— Mais non, madame. »

Pendant sept ans de cohabitation, je l'avais appelée « Madame », alors que pour sa mère, j'avais spontanément trouvé le terme de « Mémée ».

« Fouillez dans mon sac, Madeleine m'a envoyé la photo de ma petite-fille.

— Elle vous ressemble, ai-je dit, en contemplant longuement la photo.

— Oui, c'est une petite Marceau, j'en suis bien heureuse, mais, voyez-vous, j'aurais préféré qu'elle ne vienne pas au monde... (Je ne lui ai pas dit que je pensais la même chose.)

— ... parce que vous connaissez mon Jacques ; vous savez très bien qu'il n'est pas fait pour avoir des enfants autour de lui.

— Oui.

— ... et il est tellement sensible qu'il est bien capable de faire des sottises ; il est très droit.

— Oui.

— Alors, promettez-moi que quoi qu'il m'arrive, vous ne l'abandonnerez jamais.

— Oui.

— Bien vrai ? »

Elle semblait lire en moi.

« J'ai déjà promis à Mémée ; vous vous souvenez bien qu'elle m'a demandé la même chose... »

Je n'ai pas osé terminer : « Sur son lit de mort. » (Elle avait pris les mains de Jacques et les miennes et les avait serrées avec une force insoupçonnée dans ce corps qui allait mourir, en disant : « Restez toujours ensemble. »)

« Il serait perdu sans vous et — elle a pris un air grave — je n'ai pas de préventions contre cette jeune femme mais, depuis le départ de sa première femme, c'est vous que j'ai toujours considérée comme ma belle-fille. »

Elle était épuisée. Je me suis éloignée tout doucement après l'avoir embrassée et lui ai promis de revenir le lendemain matin. J'ai rejoint Paul qui m'attendait, toujours au même endroit.

— Ça me fait une peine infinie de la voir dans cet état-là !

— Je comprends mais il faut te changer les idées. Allons au petit bar de la plage ; il faudrait quand même se mettre d'accord sur cette fin de chanson.

— Mais puisque tu as certainement raison.

— Tu dis ça pour me faire plaisir, mais si j'ai tort, j'ai tort. »

Il a encore triomphé.

« Reconnais que c'est suffisamment articulé pour que l'on comprenne. »

Le barman souriait. Je pensais à cette jambe brûlante qui pourrissait.

« Hein ? de belles vacances — enfin, assombries pour toi —, mais que ça me fait plaisir d'être en voyage avec toi !

— J'irai demain matin à la clinique.

— Encore ! »

Il s'est rattrapé.

« Ça a l'air de te faire du mal et je n'aime pas que tu aies mal. Et puis, ce n'est pas le tout, je dois prendre mon boulot dans trois jours à Blois ; compte : deux jours d'auto pour arriver ; il faudra vraisemblablement s'arrêter à Roanne pour dormir et après, le boulot. En réalité, il faudrait partir demain matin de très bonne heure. »

Je sentais qu'il était jaloux et associais son énervement avec ce qu'il m'avait dit dans l'auto : « Ton Marceau ne m'aime pas. » Comme je paraissais surprise :

« Oh ! n'arrange pas les choses ! Tu n'as pas vu la

gueule qu'il faisait à la gare d'Austerlitz ? Il n'a pas desserré les dents.

— Tu sais, il parle peu aux gens qu'il ne connaît pas.

— Des foutaises ! Il ne m'aime pas. Tiens, tu ne vas pas me dire, quand nous sommes allés chez Eve, l'autre soir, et qu'elle m'a placé à côté de toi, eh bien, il n'était pas très content. Tu n'as pas vu les regards qu'il posait sur toi et les regards qu'il me jetait. »

Sincèrement, je n'avais rien vu et je le lui ai dit.

Il a tranché :

« Alors, c'est que tu n'es pas physionomiste ! Moi, pas un pli de figure ne m'échappe. »

M'échapper, je l'aurais bien voulu lorsqu'il m'a déclaré, cinq minutes plus tard, qu'il ne prenait décidément pas ce travail.

« Je n'ai pas eu de vacances depuis trois ans. Comme ça, nous ne nous quitterons pas de la journée. »

J'étais affolée. « S'il quitte son travail avant de commencer ! » Je me suis accrochée à l'histoire des contrebandiers.

« Tu quittes pour faire de la contrebande ? Tu sais, moi, je te suis fidèlement. »

Il a eu un geste las.

« J'ai bien réfléchi, plus que tu ne penses, à ça aussi. Les risques sont trop grands. J'ai vu le curé après ton départ. Il ne m'a pas proposé l'argent de la voiture. Tu comprends que j'aime mieux garder le peu que j'ai pour qu'on profite de ces vacances prolongées. La vie est courte et, à l'Auberge, à Saint-Jean-de-Luz, il y a un orchestre du tonnerre. Merde, amusons-nous. Tu es là, je t'aime, et peut-être que jamais plus nous ne pourrons. Les emmerdements arrivent toujours très vite et il faut saisir les bons moments. En avant vers la Côte Basque. Je ne dis pas que je ne vais rien faire. J'ai encore quelques autos à vendre, là-bas. Je peux gagner de quinze à vingt mille sur chaque occasion. Tu vois donc qu'il n'y a pas lieu de s'en faire. Je t'aime, je t'aime tant, comme je n'ai jamais aimé personne. »

Le soir, dans le couloir d'un hôtel de Toulouse, il m'a embrassée fougueusement et m'a murmuré des mots tendres.

Cette fois-ci, je me sentais de plus en plus responsable.

J'écrivais des lettres quotidiennes à Mme Marceau pour apaiser ma culpabilité : puisque c'était comme ça, je n'aurais pas dû partir ; elle était perdue et je me devais de rester jusqu'au dernier moment. Or, j'avais suivi Paul sans oser exprimer ma pensée.

Jacques, mon meilleur confident jusque-là, ne recevait que des lettres où jamais je ne faisais allusion à mon désespoir. Je m'avouais que Jacques n'avait reçu Paul qu'à cause de moi. Si vraiment il ne l'aimait pas, il était encore plus difficile de parler. Jacques était ainsi fait qu'il avait beaucoup plus tendance à excuser ceux qui ne le touchaient pas. Il m'aurait sans doute dit de réfléchir parce que je n'aurais pas su lui expliquer, par orgueil, qu'il fallait me venir en aide. J'avais déjà tant de fois fait des fugues semblables, le laissant seul des soirées entières, parfois même une semaine, pour courir après des chimères ! Quand je me sentais suffisamment engluée, je revenais dans le bureau à l'odeur de pipe. Nous reprenions nos matins où il me racontait quelque intrigue de livre, tout en se lavant dans une cuvette contenant un tout petit peu d'eau.

« C'est curieux que tu te laves dans si peu d'eau !

— C'est curieux, n'est-ce pas ? Mais j'aime quand l'eau ne devient qu'une masse savonneuse. C'est très amusant, ce rite. »

Il ne se rinçait pas, séchait le savon sur son corps.

C'est dans toutes les petites choses que se trouve le principal et pas, comme on le croit communément, dans de grands mouvements de pensée ou d'action.

J'étais moi aussi, rituellement assise à un coin de table devant une tasse de café et j'allumais cigarette sur cigarette. Nous restions parfois enfermés deux heures dans cette cuisine hermétiquement close, le gaz réchauffant l'atmosphère, et l'eau n'était utilisée que lorsque la bouilloire se déversait depuis cinq minutes sur le gaz. La vapeur se déposait sur le plafond, qui avait pris une teinte rouille.

Il levait la tête tout en lavant ses jambes et disait : « Il faudra songer à s'occuper un jour de ce plafond. »

Je suis sûre qu'il doit penser que ce sera comme les autres fois et qu'il me faut laisser faire : « Seule, l'expérience compte, les conseils sont inutiles. » C'est toujours ce qu'il me dit.

Voilà tout ce que je pensais en regardant Paul battre les vagues avec une badine. « Lui n'a pas l'air de s'en faire, il croit que tout est arrivé, l'imbécile. » Nous étions à Hossegor et nous campions dans les dunes, au même endroit où j'avais connu, deux ans auparavant, Gérard, un médecin qui s'était arrêté pour me dire : « Attention, des brûlures au second degré dans le dos, vous pouvez vous méfier. » Il avait soigné mes brûlures et je m'étais raccrochée à lui comme à une épave parce que je savais que Jacques...

...Les souvenirs m'envahissaient. Je me souvenais de ce jour où j'avais porté mes traductions chez l'éditeur. Il était occupé, je les remis à un scribouillard quelconque. Sur le chemin du retour, je me félicitais d'avoir évité de parler, car je déteste parler aux gens qui ne sont pas mes amis.

Jacques était dans le bureau et dès que j'ai ouvert la porte, il a caché précipitamment une lettre. Il avait l'air accablé.

« Tu rentres tôt, m'a-t-il dit.

— Toi, tu veux rester seul. Tu as l'air triste.

— Mais non, mais non, s'est-il défendu, ça va ; enfin, un peu fatigué par tous ces travaux de nègre. Ecrire pour les autres n'est pas toujours très amusant.

— Je comprends. »

Mais le soir il m'avouait dans le lit que cette fois-ci, il aimait vraiment.

« C'est une fille qui est pour moi, j'en suis sûr, et je l'aime, seulement ce qui me tourmente, c'est qu'il y a toi et pour rien au monde, je ne voudrais te faire mal. »

Je me suis mise à pleurer doucement. Lui aussi s'est mis à pleurer. J'ai blagué à travers mes larmes.

« De quoi avons-nous l'air dans le lit, en train de pleurer ; ridicule !

— La peine n'est jamais ridicule. »

Il m'a prise dans ses bras.

« C'est l'époque des vacances, pars ; je vais essayer de vivre avec elle et après nous aviserons. »

Gérard était un bon moyen de le débarrasser de moi, car il eût été bien capable de se sacrifier.

J'ai terminé ces vacances avec Gérard dans sa villa d'Antony. Deux jours après mon arrivée, j'ai téléphoné à Jacques, qui m'a dit qu'il venait pour me parler. Gérard s'est alors interposé en me demandant d'assister à l'entrevue. J'avais rendez-vous à la gare et j'ai refusé de l'emmener. Il faisait nuit. Le chemin me paraissait hostile avec ses arbres qui semblaient me menacer.

J'arrivais à la gare comme il en sortait. Je l'ai pris par la main et je l'ai embrassé quatre ou cinq fois. Puis je l'ai entraîné vers un vieux bistrot d'autrefois, aux hautes banquettes de velours cramoisi et râpé.

Nous nous sommes regardés sans mot dire. Il a rompu le silence :

« C'était raté, tu sais, mon expérience.

— Je le sentais dans tes dernières lettres ; tu

paraissais désabusé, me demandant de ne rien brusquer et d'attendre tes explications.

— Je n'étais pas heureux, tu comprends ?

— Oui.

— Oh ! elle faisait tout ce qu'elle pouvait, mais ce n'était pas ça. Vois-tu, je sais toujours quand ça ne marchera pas, c'est quand j'ai des mauvaises pensées. Un jour, elle m'a téléphoné qu'elle avait perdu la clef de l'appartement. J'aurais très bien pu revenir à la maison mais j'ai prétexté un empêchement grave. C'est à des choses comme ça que je sens que ça ne marchera pas. Mais toi ?

— C'est un médecin rencontré à Hossegor, qui m'a soignée et qui veut m'épouser. Il m'a demandé de m'accompagner ici, mais ce moment est à nous deux. »

J'ai serré sa main sur la banquette.

« Tu me laisserais ? »

J'ai eu un sursaut.

« Jamais, pas toi ! »

— Il faut faire pourtant ce que tu as envie de faire, toi.

— Mais je n'ai envie que de rester avec toi. Tu sais bien pourquoi j'ai fait ça ; j'avais si peur de rester seule !

— Je crois plutôt que nous voulons absolument faire assaut de générosité ; je m'explique : tu voulais me laisser les mains libres et que je n'aie pas de remords.

— C'est vrai.

— C'est facile à saisir, ces choses-là ! je ferais de même.

— On est absurdes !

— Oui, il faut bien reconnaître qu'il y a une certaine absurdité dans nos conduites. Mais ce garçon, c'est très injuste pour lui. Il faut bien considérer ce que deviennent les autres dans ces histoires.

— Mais elle, comment l'a-t-elle pris ?

— C'est surtout son orgueil qui souffre ; elle est suffisamment intelligente pour savoir que c'était un échec. Que veux-tu, c'est encore avec toi que je vis le mieux. »

Dans sa bouche, c'était un gros compliment.

« Fais-moi passer un mouchoir. »

Des larmes humectaient ses yeux. J'ai senti les miens picoter.

« Enfin, il faut que je rentre, a-t-il conclu tout en tirant sur sa chemise verte que nous avions achetée ensemble. Tu comprends, elle est encore là et il est inutile de lui causer une peine gratuite. »

J'ai pris sa grosse tête dans mes mains.

« Tu te rappelles notre petite chanson ? »

J'ai fredonné un air que nous avions inventé ensemble. Et j'ai attendu à la gare jusqu'à ce que le train disparaisse. Gérard m'attendait contre le tronc d'un platane, en grillant une cigarette. De loin, je ne distinguais qu'un point rouge qui brillait.

« Et alors ? a-t-il dit en s'approchant, comme j'arrivais à sa hauteur.

— Je vais rentrer.

— Tu as cédé ?

— Non, je n'ai pas cédé ; je ne peux pas vivre sans lui.

— Mais que t'a-t-il dit, pour que tu oublies tout ?

— Il ne m'a presque rien dit.

— Mais puisqu'il devait se marier ? »

Il reprenait ma propre phrase et pourtant, dans sa bouche, elle me paraissait comique et dénuée de sens.

« Ça n'a pas marché.

— Et parce que ça n'a pas marché, tu vas me quitter ?

— Oui. »

Je l'ai regardé mais je n'arrivais pas à distinguer ses traits. Il m'a serré le bras et sa voix vibrait de colère :

« Eh bien, moi, je dis non. C'est trop commode,

n'est-ce pas ? Enfin, si ça avait marché, qu'est-ce que tu aurais fait ?

— Je restais avec toi. »

Il est resté interloqué.

« Et tu joues comme ça avec ta vie ?

— Oh ! ma vie... N'essaie pas de comprendre, je te paraîtrais folle.

— Mais tu l'es, folle, et folle à lier !

— Je ne peux pas le laisser. »

C'était moi, maintenant, qui lui prenais le bras.

« Je ne peux pas, tu comprends, parce qu'il est tout pour moi. Si je l'avais perdu, je me perdais, moi. Perdue pour perdue, autant rester avec toi, parce que tu es gentil.

— Et c'est tout ce que tu trouves : gentil !

— C'est beaucoup pour moi, un être gentil.

— Je ne veux pas te perdre.

Il n'a pas dit : « Je me perdrais, moi. »

— Et je vais lui téléphoner.

— Non.

— Si !

— Tout ce que tu diras ne changera rien ; il faudrait qu'il meure pour que je change de décision. Et puis, tu es plus jeune que moi, tu trouveras un autre fille et tu oublieras très vite.

— Pas de fadaises. »

Il avait raison mais, que dire ? Tous les mots prennent dans ces situations un air mélo.

Cependant, Gérard n'a pas désarmé. Il a téléphoné le lendemain, demandé un rendez-vous et m'a quittée l'après-midi. Il est revenu bouleversé.

« Il a une façon de parler qui vous laisse baba. Il n'accuse pas, il n'élève jamais la voix, même quand on le sent prêt à mordre mais il constate toujours : « Les faits sont là, n'est-ce pas ? Qu'y pouvons-nous ? « Laisser partir Hélène comme ça, non, je suis heu- « reux avec elle. Mettez-vous à ma place ? Que vous « ayez de la peine, je me mets à votre place ! Qui

« n'en aurait pas ? Mais ça ne changera rien. Laissons-
« la, elle, décider ». — « Elle a choisi. Je suis désolé
« pour vous mais qu'y puis-je ? Comme tout est dif-
« ficile ! » Tu vois à peu près la conversation. »

Je la connaissais. Mes sept ans de vie avec Jacques
me l'avaient fait connaître mieux que moi-même.
J'entendais sa voix calme, réfléchie, hésitante par
moments, surtout lorsqu'il s'agissait de parler de lui-
même, mais plus claire et décidée quand il exposait
les idées des autres.

« Réfléchis bien, suppliait Gérard, nous étions heureux, non ?

— Oui.

— Et tu n'éprouverais rien si je disparaissais de
ta vie ?

— Je pourrais te voir.

— C'est cela ; quand tu aurais le temps. Bon Dieu,
mais ce sont des solutions boiteuses ! Tu me vois
jouer le rôle du « deux fois par semaine », se retrouver dans une petite chambre d'hôtel borgne ?

— Mais je peux venir ici.

— En banlieue ! Tu rêves, ou alors tu dis
n'importe quoi ?

— Ne me bouscule pas, j'ai la tête vide. Je suis
malheureuse pour toi et je ne peux rien faire. »

J'ai pleuré. Je me défendais lâchement, espérant
provoquer la tendresse et sortir de toutes ces explications inutiles.

« Viens, m'a-t-il dit. Une partie de tennis te détien-
dra et moi aussi. J'en ai bien besoin. Dieu ! quelle journée ! » Nous avons joué comme des fous. Il a gagné.

« Le dicton doit être vrai. Heureux au jeu... »
Il a ri un peu trop haut.

Trois jours après, j'étais partie. Je l'ai revu plu-
sieurs fois de loin en loin, puis il s'est marié avec la
fille qu'il avait quittée pour moi.

C'était le même endroit de la plage, mais plus du
tout la même situation. Paul n'était pas Gérard ; il

n'avait pas de logement à Paris, pas assez d'argent
pour y louer un meublé. Il faudrait donc le loger.
J'ai essayé d'imaginer une vie à trois ; je ne perdrais
pas Jacques et je ne me sentirais pas coupable envers
Paul. C'était aberrant et pourtant je m'accrochais à
cette solution.

Paul s'approchait en soulevant le sable avec sa
badine.

« C'est encore la lune », m'a-t-il fait remarquer en
pointant sa badine vers mon nez.

Je me suis enfin lancée à l'eau :

« Je songe à repartir ; je pense que tout cela est
une erreur. Il vaudrait mieux que je m'éloigne. »

Il s'est assis près de moi, sur le sable.

« Tu penses à lui ? »

J'ai hoché la tête.

« Ne t'inquiète donc pas ; tu sais que nous nous
arrangerons très bien, quant à moi, parce que je suis
suffisamment sociable, et puis, je serai sur la route,
je ne le gênerai pas trop. Est-ce qu'il t'a écrit quelque
chose ?

— Non.

— Oh ! comme je sais qu'il ne m'aime pas beaucoup... mais enfin, le vin est tiré, il faut le boire... Tu
m'as fait quitter mon travail et je n'en retrouverai
pas ici. Quant à accepter l'histoire d'Eve, non ; je
ne vais pas aller en province alors que tu es à Paris,
ça jamais ! »

Son assurance me faisait tenir coite. Je tentai
néanmoins une petite sortie :

« Je ne crois pas que je sois bien faite pour une
autre vie.

— Mais de quoi as-tu peur ?

— De tout.

— Si c'est pour Jacques, je te promets que tu
continueras comme par le passé à t'occuper de lui.

— C'est toi qui ne pourras pas supporter.

— Moi ! plutôt lui, oui ! Soyons logiques : du

moment qu'il ne m'aime pas beaucoup, c'est moi qui
ne lui fait pas plaisir en entrant chez lui.

— Hum !

— Parfaitement, je te répète que je suis sociable,
moi ! Je m'entends toujours avec tout le monde.

— J'entrevois des complications.

— Bah ! c'est ta « lune pleine ». Tu verras, tout
ira bien, et pourquoi, pour nous, ça n'irait pas ? Tu
seras heureuse avec moi, je te dorloterai, on s'entend
bien sexuellement, parce que ça, entre nous, c'est
très important. En définitive, on a tout pour vivre
ensemble. Je me sens de taille à braver le monde
entier pour toi et tu verras, je réussirai, je te rendrai heureuse, heureuse comme tu ne l'as jamais
été. Vois-tu, jusqu'à ce que je t'aie rencontrée, je
me foutais d'une situation, mais maintenant ! Allons,
allons, pourquoi pas ? »

Bien sûr, pourquoi pas ? En attendant, c'était Jacques qui essayait de lui trouver une situation, pendant
que nous dépensions mes derniers sous, que je met-
tais en commun pour qu'il puisse régler toutes les
dépenses.

L'argent, je m'en fichais mais une angoisse vague
m'avait saisie à la gorge. Il s'embarquait, et m'embarquait sans marquer la moindre hésitation, sur un
bateau aux planches trouées.

Les semaines passèrent ; vint l'équinoxe. Le vent
marin soufflait, déjà glacial, et toutes nos nuits nous
les passions dans des sacs de couchage et nous
emmitouflant dans les couvertures. La mer forte
faisait un bruit d'enfer ; je pensais qu'un raz de
marée arrangerait tout. Malheureusement, il n'y en
avait jamais eu à Hossegor. Une lettre de Jacques
est finalement arrivée, demandant que Paul vienne.
Il avait trouvé quelque chose. Paul est parti et je
suis allée soigner les vomissements de mon père.

Au moment de mon arrivée, maman « passait un
savon » à ma petite nièce qui avait fait pipi au lit :

« Si tu recommences... une fois passe, mais deux et trois fois, c'est de la comédie. »

Elle s'est tournée vers moi :

« Tu comprends, moi, je sais bien la cause : elle prend la nuit pour le jour. »

Mon père, qui voulait se reposer, a tenté de monter les escaliers mais maman l'a tiré par la veste :

« Non, Frédéric, va prendre un peu l'air au jardin. »

Il a essayé de passer et maman s'est interposée en me soufflant tout bas :

« Je lui prépare un de ces cafés au sel ! il va dégueuler tout de suite. »

Mais papa, cette fois, l'a repoussée.

« Laisse-moi passer, et vite ! »

— Non. »

Elle lui désignait le jardin en lui barrant la route, mais il s'est rebiffé en lui envoyant un coup de poing dans le nez. Le sang a coulé le long de sa robe, en jet régulier. Je me suis placée entre les deux et j'ai attrapé la tête de mon père — j'ai pensé à l'échafaud — et je l'ai secouée, mais il a vu plus vite que moi le rasoir que maman tenait dans sa main.

« Tiens-lui la tête, qu'il y passe ! »

Je me suis entendue hurler :

« Non, pas ça ! »

Ma petite nièce poussait des cris perçants. J'ai reçu un coup de poing de mon père qui se sentait acculé et défendait sa peau. Il s'est enfui dans le jardin et j'ai passé un doigt sur ma lèvre fendue.

La cuisine était pleine de sang ; maman, prostrée sur une chaise, tenait sous son nez un torchon qui devenait rapidement rouge. J'ai contourné la maison et j'ai trouvé mon père, qui allait vers le garage. Je lui ai ouvert la porte mais il m'a dit :

« Toi, frapper ton père et te mettre avec cette grande pute qui LES voit maintenant en auto, frapper ton père qui a été en prison et même au bagne, tu entends, au bagne, parce que j'étais fort. Mais demain, tu m'entends, je partirai pour toujours, loin de cette. femme qui veut me tuer ; ce bandit de femme !

— Tais-toi.

— Tiens, mets-moi un matelas au garage, je ne rentrerai jamais plus dans la maison. »

J'ai passé une partie de la nuit à faire des compresses de sel à maman.

« Toi qui voulais du sel, tu es servie.

— Je lui avais dit : « Frédéric, tout, mais pas des coups ; le jour où tu me toucheras, je partirai à tout jamais. »

— Mais lui aussi veut partir pour toujours.

— Bon débarras, que ce salaud disparaisse ! Il en a beaucoup trop fait. Tu n'aurais pas dû m'empêcher de lui couper la tête.

— C'est mon père. »

Elle n'a pas répondu.

LORSQUE je suis entrée dans l'appartement, ils triaient tous les deux des romans. Il s'agissait de mettre par ordre alphabétique les quelques milliers de livres de la bibliothèque. Jacques a dit en me regardant :

« Petit monsieur, vous avez toujours le nez aussi long. »

L'atmosphère s'est glacée. Paul s'est renfrogné. Sa barre têtue s'est reformée. Il a préparé sa valise le soir, le visage plus fermé que jamais.

Le lendemain, il est parti pour Evreux.

Pour nous, la vie était revenue. Jacques continuait à se laver dans la cuvette presque vide et moi à prendre une tasse de café en l'écoutant. Le samedi suivant, Paul est rentré, fourbu, ayant décidé de ne pas continuer.

Tous les trois, nous avons fait des efforts surhumains pour arranger les choses. Peut-être était-ce moi qui étais encore la plus sereine, allant dans le bureau de Jacques, dont il refermait soigneusement la porte, laissant Paul errer dans le reste de l'appartement.

Quand j'allais le retrouver, il était dans sa chambre, le cendrier plein de mégots, tassé sur lui-même et l'air mauvais. Il regardait par la fenêtre les toits et les cheminées.

Un jour, j'ai tenté une diversion :

« C'est laid, tout ça.

— Hideux ; mais Paris est hideux. »

Il y eut un silence.

« Je vais tâter des annonces. Je crois que si je ne m'en occupe pas moi-même, ce ne seront pas les autres qui m'aideront à trouver une place », a-t-il dit d'un ton plein de sous-entendus.

Lors des repas, pris dans la cuisine, nous formions un spectacle touchant ; nous mangions du bout des lèvres et personne ne disait mot. Jacques disait très vite : « Bonsoir, messieurs-dames » et filait dans son bureau.

Un soir, cependant, il est resté et a hésité visiblement avant de laisser tomber :

« Je pense qu'il vaut mieux que je me marie. »

Paul a eu un éclair de joie dans les yeux, mais a très vite repris sa figure renfrognée.

Il m'a semblé qu'une avalanche dévalait sur moi.

« Ce sera ainsi bien mieux pour tout le monde », a continué Jacques.

Cette phrase a semblé atteindre Paul au plus vif.

« Vous n'avez pas l'air de le désirer.

— Est-ce que je sais ce que je désire ? Tout au plus, je pourrais dire que ça lui fera plaisir ; je parle en ce moment d'elle. »

Mais Paul n'était pas convaincu. Ce qu'il appelait son bon sens et sa logique se révoltait ; aussi a-t-il parlé, loyalement, contre ses propres souhaits :

« Eh bien, moi, je vous conseille de ne pas le faire. Ça vous entraînerait à quoi, l'imaginez-vous ?

— A rien.

— Alors ! vous croyez que vous allez être heureux ? Elle non plus, d'ailleurs. Si elle est fine, elle va s'apercevoir très vite que vous ne l'aimez pas, car vous ne l'aimez pas, puisque vous ne savez même pas si vous voulez l'épouser.

— Elle attend depuis plus d'un an la conclusion de toute cette histoire... Il y a la petite fille, de toute façon. »

Il a eu un geste hésitant, puis a appuyé ses mains sur ses genoux en penchant le buste en avant. Il paraissait très démuni et très seul.

« Si j'étais vous, je réfléchirais, a insisté Paul, qui devait se sentir coupable ; tout de même, un mariage, ce n'est pas rien ! Si vous étiez seul, mais des enfants en plus ! Après, on ne peut plus retourner sa veste.

— Evidemment, oui, a répondu Jacques, oui..., tout cela est vrai, mais comment faire ? »

Je me le demandais aussi. J'avais envie de m'approcher de lui, mais je ne bougeais pas. J'aurais voulu lui crier que cette situation était intolérable, que je ne voulais pas le perdre, que c'en était fini de ma vie, que si nous ne pouvions pas vivre tous les trois, que si Paul n'avait plus de déplacements, il n'avait qu'à partir. Je me suis promis de ne jamais plus recommencer un jeu aussi dangereux. Je resterais crabe dans le bureau, avec mes traductions, mais jamais plus je n'aurais un autre amoureux. Mais, extérieurement, je restais toujours immobile, allumant cigarette sur cigarette et faisant les plus grands efforts pour que mes dents ne claquent pas. Je me traitais de lâche et je me détestais. « Tant pis, si on n'est pas fort, on n'a qu'à crever », la voix secrète sonnait dans ma tête.

« Tu devrais manger une orange », m'a dit Jacques, et il a essayé de me sourire, mais le cœur n'y était pas.

Puis il est passé dans son bureau.

« J'ai été franc, non ? m'a dit Paul lorsque la porte s'est refermée, pourtant ce n'est pas mon intérêt ; mais voir quelqu'un se noyer volontairement me crève ; j'ai dit ce que je pensais et je suis satisfait et puis...

— Parce que tu penses que s'il se marie, toutes les complications seront terminées.

— Je le crois.

— Ah ! bon. Et pourquoi pas ? »

Je me suis arrêtée. Son optimisme m'abrutissait. Est-ce qu'il sentait exactement ce qui allait arriver ? Tout cela, par ma faute ; il était « chez nous », il s'incrustait et refusait l'évidence. Il ne sortait jamais, écrivait des heures entières, à toutes les annonces qu'il jugeait correctes, annonçant un travail qui le ferait rester à Paris. Pourtant, les rues de Paris, il les détestait de tout son cœur. Comment aurait-il le courage de les parcourir pour son travail ? Parfois, il recevait une réponse et alors il filait, mais revenait le plus vite possible.

Le mari de ma seconde sœur, Simone, avait décidé de refaire le couloir, « histoire de se faire la main et de voir si, en encastrant l'électricité, les poutrelles de fer passées au minium ne laisseraient pas passer la rouille ».

« C'est souvent ce qui arrive, mais j'ai mon idée. Chez moi, je n'ai pas de place et puis ça me dégoûte, chez moi, de faire quoi que ce soit. Ici, c'est passionnant, car c'est de la bonne construction. Encastrer l'électricité, c'est très difficile. »

Paul l'aidait et lui tenait des mètres de fil électrique avec répugnance. Il contemplait, dégoûté, Anatole s'escrimer à comprendre le sens du courant.

« C'est marrant, l'électricité, disait Anatole, tu as des fils avec du courant positif et d'autres sans ; le tout, c'est d'attraper la combine parce que, pour que ça passe, il faut comprendre... Tiens la bobine, un peu plus haut si tu peux... oui, comme ça... Merde, ça rate, le fil rouge doit être à la place du bleu et pourtant je sens le jus ! »

Il s'accroupissait, entraînant les fils, et Paul s'accroupissait lui aussi. Anatole jurait et Paul pinçait les lèvres.

« Je crois que ça y est, cette fois, lâche le fil mais tiens l'extrémité. Il faut quand même s'en sortir... Quand je pense qu'il y a des électriciens qui le sentent, je ne sais pas comment par exemple, mais j'en ai vu travailler. C'est saisissant. »

J'enjambais les fils et les outils et entrais dans le bureau, en refermant soigneusement la porte sur un ordre impératif de Jacques.

Cette porte qui se refermait aurait fait hurler Paul s'il n'avait pas eu la fierté de se montrer grand prince devant Anatole. Il sentait l'entrée interdite et se voyait prisonnier dans le couloir de son orgueil, avec des mètres de fil, et du jus qui lui passait parfois dans les bras, quand Anatole s'était un peu trop égaré dans les pôles. Il s'arrangeait toujours pour épier à travers la porte vitrée qui profilait nos silhouettes. Je n'osais m'approcher de Jacques et m'asseyais à l'abri sur le divan. Jacques commençait alors une course folle dans le bureau, les mains posées sur ses genoux, plié en deux. Il courait d'une façon saccadée comme s'il avait un ressort dans le ventre ; d'un pas de gigue, il se précipitait la tête en avant contre les murs ou les fenêtres et ne s'arrêtait mystérieusement que lorsque ses cheveux frôlaient la paroi.

J'avais toujours peur qu'il ne se fracasse la tête. Il y avait dans ce mouvement quelque chose de tellement brutal et en même temps de tellement organisé que j'avais essayé un jour de l'imiter. Il m'avait regardée en souriant :

« Tu singes, mais ce n'est pas du tout ça. Ce tic est trop personnel pour que quelqu'un d'autre le réussisse. »

Les deux autres se régalaient. Je voyais Anatole chuchoter :

« Hé oui, mon vieux, quelque chose ne va pas rond ! J'ai été éberlué en voyant ça la première fois. »

Pour Paul, c'était plus vite analysé :

« Un cinglé, et l'autre qui doit admirer ça comme une prouesse ! Un truc d'intellectuel, alors c'est intelligent. Les cons ! »

Je ressortais du bureau et allais commenter le

travail. Paul était alors pris d'une agitation fiévreuse, tournait autour des fils, se prenait les pieds dans un outil et jurait.

Il me lançait un coup d'œil meurtrier :

« Eloigne-toi un peu, tu vois bien que tu nous gênes ! »

Anatole semblait se réjouir intérieurement mais continuait à donner des explications comme si de rien n'était.

Le soir, ils descendaient au tabac voisin, d'où Paul remontait l'haleine empestée de Ricard. Il se montrait alors particulièrement énervé et mangeait à la façon d'un homme qui s'est fourvoyé dans un milieu qu'il méprise.

Il a finalement trouvé une place dans une fabrique de papier en gros. Il ne m'avait rien expliqué, mais j'ai constaté qu'il avait arrangé sa journée pour pouvoir revenir tous les après-midi vers quatre heures. Si Jacques n'était pas là, il paraissait plus détendu ; mais s'il le savait dans son bureau, il repartait en claquant violemment la porte d'entrée.

Quelques secondes après, Jacques passait sa tête dans le couloir.

« Qu'a-t-il ? »

Je haussais les épaules :

« Il nous emmerde, tu comprends. J'en ai par-dessus la tête de ses gestes de con », disais-je.

La porte du bureau se refermait. Je lavais la cuisine avec rage. J'avais l'impression que c'était sur Paul que je passais la brosse et que je l'écorchais vif. Et puis montait la petite phrase : « Il va se marier », qui était immédiatement suivie de : « Non, il ne le fera pas. »

Il n'en parlait pas mais je savais qu'il suivait son idée obstinément, qu'il désirait nous punir, lui et moi, lui parce qu'il n'avait pas la force de planter son pied dans le derrière de Paul, et moi pour ma faiblesse.

Il s'accrochait à l'idée de mariage comme à une idée nouvelle, séduisante pour l'instant. Je me souvenais lorsqu'il m'avait dit : « Tu sais, je suis bien avec une gentille fille qui voudrait un enfant de moi, bien entendu sans exiger quoi que ce soit mais comme ça.. »

« Et que vas-tu faire ? Au départ, une femme pense sincèrement qu'elle sera suffisamment forte, mais après, elle se prend à regretter que son enfant n'ait pas de père. Attention aux rêves ! »

Il avait préféré rêver et ne pas lâcher cette idée. Elle lui plaisait parce qu'elle lui donnait l'impression d'être aimé par-dessus toutes les considérations et contingences.

Paul, lui, ne voyait que son problème :

« J'ai tout quitté pour toi, et ma mère est seule !

— Mais il y a ta tante.

— Ma tante, ma tante, ce n'est pas moi. Tu ne peux comparer une tante à un fils. Oui, je l'ai laissée seule et tu m'as entraîné dans une ville où on ne peut pas vivre. Paris, c'est ça, n'est-ce pas ? Pas une heure de répit.

— Ne te plains pas trop, il y en a qui...

— Merde, et les gens qui te pressent dans le métro, qui te marchent sur les pieds, et des autobus que tu ne peux jamais prendre à cause des priorités. C'est fou ce qu'il y a dans cette ville de mal-foutus ! La république, quoi ! Encore l'œuvre des socialistes. Ah ! quel bazar ! »

Il est revenu un soir, le sang coulant abondamment de son nez.

« J'en ai corrigé un dans le métro. Ça lui apprendra à me bousculer sans s'excuser. Car un Parisien, c'est un mec qui se croit tout permis. En vacances, ils essaient de vous en foutre plein la vue et tout ça pour parler comme le paysan du coin : « Pouvez « m'indiquer la route pour Hendaye ? » » Incroyable ! Je vais me faire une inhalation.

— Une inhalation ?

— Mais oui, une inhalation ! »

Toutes les minutes, il levait la serviette :

« Et je lui ai dit : « Con, ce n'est pas parce que
« vous êtes à Paris que vous devez me prendre pour
« une malle arabe ! »

Il rabaissait la serviette pour aller puiser une nouvelle idée dans le bol d'eau salée :

« Je suis content, il est en mauvais état. J'ai le
poing sec et je sais m'en servir, espèce de Parisien
à la gomme ! Tiens, ils me font rigoler ; comme s'il
y avait de vrais Parisiens ! Des Parisiens de Bretagne
ou de Strasbourg, oui, parce que pour le Midi, ils
repasseront. On n'est pas con chez nous, on ne va
pas aller chercher la brume sous prétexte de vivre
à Paris. »

Il a agité la serviette à la façon d'un toréador
faisant une passe :

« Si je lui disais que le pauvre type du métro a
pris pour nous, qu'il craint, au fond, d'attaquer Jacques qui l'impressionne ? » Je refrénai vite cette envie
de provocation, jugeant que les silences hargneux ou
les dégoûts étaient bien assez fatigants.

« Parce que tu crois que je ne me suis pas aperçu
de beaucoup de choses ? Ton Marceau, c'est un faux
jeton, comme toi d'ailleurs. Ça vous ferait mal de
voir les choses en face et de dire ce que vous pensez
réellement. Non, la franchise est loin. Faites votre
petite cuisine quand je ne suis pas là ! Laisse-toi
bourrer le crâne. »

Il ouvrait une large bouche et je voyais ses dents
pourries, deux énormes chicots noirâtres en bas et
en haut, le reste d'un bridge dont le métal était
curieusement tordu.

J'ai détourné la tête. Je n'avais plus droit à la
main posée sur la bouche quand il parlait.

« Détourne les yeux, va, ma vieille, tu n'aimes pas
les vérités, mais je regrette ; je n'ai jamais manqué

quelqu'un et je ne vois pas pourquoi je te manquerais.
Je ne suis pas Marceau pour te bercer d'illusions
sur ton caractère, qui n'a rien à envier aux autres.
Hein, que c'est comme ça qu'il te parle ? Pour toi la
flatterie, pour moi l'insulte.

— Mais il ne me parle jamais de toi.

— Je ne m'inquiète pas pour lui. Il est bien trop
subtil pour t'en parler brutalement. Mais il le fait
par la bande, c'est bien plus fort. Car ton Marceau
que tu défends toujours, il en connaît un rayon pour
manœuvrer les gens. D'ailleurs, toi, il te présenterait
de la merde en te disant que c'est de la crème Chan-
tilly, tu le croirais. Pauvre imbécile, il est bien plus
fort que toi et que tu ne le penses ; ce n'est pas à
moi qu'il viendrait raconter des salades. Dis aussi
qu'il ne l'a pas fait exprès de laisser traîner ta lettre,
celle où tu paraissais si heureuse parce que j'allais
gagner deux cent mille francs en n'étant jamais là.
D'ailleurs, il ne l'a pas laissée traîner, il l'a bien mise
en évidence même, et c'est là qu'est l'astuce, il m'a
emmené près de son bureau pour voir la liste des livres
à mettre en ordre. Car je suis venu pour mettre des
livres en ordre et tenir des fils électriques ! Avoue
qu'un autre que moi l'aurait étranglé, ton chéri. Figure-toi que ma mère ne m'a jamais demandé de lui
arranger un bouton de porte, et je débarque pour être
un artisan bon à tout. Il n'y a qu'à moi que ces
choses-là arrivent. Et on parle d'être aimé, de petit
lapin qu'il ne faut pas écraser ; on joue à la sensible,
on a peur de la lune pleine et puis quoi ! Tout ça pour
finir par regarder attentivement si Aragon n'est pas
après Aveline. Parce que ce n'est pas seulement le A qui
l'intéresse, c'est aussi le reste du nom et tout ça pour
rien. Enfin, quoi, tout ça pour les laisser pourrir sur
des étagères, ces malheureux livres si sacrés ! »

Il gesticulait :

« Et allons-y, après, pour me récompenser, les commissions dans les rues de Paris ; naturellement, je

ne vais pas te rabâcher ce que j'en pense mais simplement te faire observer que lui les aime, les rues !
Bon, les commissions et après, qui s'appuie la vais-
selle ? Bibi. Il est vrai que j'ai le logement gratis,
dans une chambre où les livres croulent, moi qui ne
peux pas les voir et, devant moi, en pleine poire
quand je suis enfin au lit, un tableau de grande
valeur ! Une toile qui m'évoque une machine à râper
du fromage. C'est vrai que tu dois penser que je suis
ignare. Mais puisqu'on peut tout imaginer sur
l'abstrait, je ne vois pas pourquoi je ne verrais pas
aussi bien que Marceau ! Bref, bien fait, pour les
deux cent mille francs qui vous passent sous le nez ! »

En arrivant, il a été tout juste poli ! Deux heures
après, l'invitation au bureau ! Maintenant, il faudrait
que je le trouve sublime ; eh bien non, merde et
merde.

« Je crois que tu te trompes. »

Il a levé les bras au ciel.

« Tu vois ! je me trompe ! Ce que je vois de mes
propres yeux ! Ecoute, ne te fous pas de moi, c'est
bien assez de ne pouvoir m'encadrer. Je brise votre
beau petit commerce, je suis l'intrus et le con de
la bande, et...

— Les lettres sont toujours sur le bureau.

— Amen, amen, amen ! Ne me fais pas rire, tiens,
comme dit ta sœur Gilberte qui voit les scorpions
courir dans le désert. Je dois avoir la gueule à ce
qu'on me fasse avaler des couleuvres. Tu veux savoir
ce que je pense exactement ? Je ne croirai jamais,
même s'il me le disait, lui, qu'il n'a pas eu d'intention ; c'est un type fin, je veux bien lui accorder ce
qu'il a ! Alors, elles sont fraîches, tes idées. Moi qui
arrive avec ma gueule enfarinée, on m'apprend qu'il
me faut des déplacements qui rapporteront. On se
fera une bonne petite vie sur mon dos, on ira lui
acheter des chaussettes, des chemises, des costumes
avec mes sous. Ce n'est pas mal combiné, tout cela

pendant que le pauvre abruti court les routes sous
le froid, la neige, le gel. Il est vrai qu'il n'y a rien
de tel que le gel pour vous faire déraper. Je casse
ma pipe et tout le monde est content. Et si toi, tu
n'es pas contente, ce sera parce que j'aurai oublié de
m'assurer à ton nom. »

Il m'a regardée férocement :

« Mais ça, ma petite, bernique, des clous, je ne
m'assurerai JA-MAIS. »

J'ai ouvert la bouche.

« Non, non, laisse-moi finir, ton répertoire je le
connais, et avec mon air con et ma vue basse, il y a
bien longtemps que j'ai deviné le manège, m'éliminer
à tout prix, par n'importe quel moyen. Je te ferai
remarquer que, comme délicatesse, on ne fait pas
mieux. J'allais travailler pour toi et quand je serais
revenu, tu serais partie t'enfermer dans le bureau.
Clac, clac, on ferme la porte et le pauvre Paul est
comme un gland dans le couloir. Bienheureux qu'on
ne lui dise pas : « Déjà de retour ! » Mais ne t'en
fais pas, je ne serais jamais arrivé le matin... pour
te voir assister à sa toilette, merci bien ! »

Il a fait une pause. Je pensais à ses dents pourries.

« Parce que ça ne te choque pas d'assister à la
toilette d'un type nu comme un ver dans sa cuisine
pendant que tu couches avec un autre. Bien sûr que
non ! Marceau t'a pourtant bien dit qu'il faut avoir
le sens des nuances !

— Mais puisque je l'ai vu nu pendant sept ans,
pourquoi maintenant devrais-je baisser les yeux ?
Je n'ai pas été élevée chez les Jésuites comme toi.

— Fous la paix aux Jésuites ; parce que maintenant je suis là, moi seul, sans Jésuites, et votre délicatesse à tous les deux, je me la fous où je pense.
C'est drôle, tu ne viens pas me voir quand je me lave,
tout nu dans une cuisine ; il est vrai que je suis
trop maigre, que je suis moche, que je n'ai pas
d'idées brillantes. Vous me faites rigoler avec vos

idées ! Vous allez chercher midi à quatorze heures et, après, vous êtes contents. Marccau, il faudrait l'applaudir, lui dire que c'est un génie. Merci bien, je ne joue pas ce jeu-là. »

Il m'a touché le bras pour que je voie son air finaud.

« Tiens, si je voulais vivre en paix, ce serait facile ; je n'aurais qu'à approuver tout ; tes yeux brilleraient. Je te ferais plaisir et j'aurais droit à un peu de considération : « Tout de même, ce Paul juge bien ; il « ne faut pas lui en vouloir. » Eh bien, non et non, je ne mange pas de ce pain-là et je lutterai jusqu'à ce que tu changes, et tu changeras parce que je te mettrai constamment le nez dans ton caca ! Et voilà !

— Hum !

— Eh ! oui, ça sent mauvais mais que veux-tu ? Tu admettrais que je souffre seul et que tu t'en sortes sans perdre une plume ? Tu aimerais mieux lire, té ! en ce moment, mais moi, les livres me font chier, parfaitement, et je préfère parler.

— Ou aller au rugby.

— Halte ! Tu vas me dire que tu hais le rugby et que ces quinze types pataugeant dans la boue feraient mieux d'aller se coucher. Darrigade non plus n'a pas de bonnes jambes ! Bien sûr que non ! C'est un type du Midi avec l'accent et les gens du Midi ça ne vaut pas grand-chose ! N'empêche que ce sont ceux du Nord qui sont venus les emmerder chez eux ! Qu'est-ce qu'ils venaient faire chez nous ? Dis-le-moi, toi qui es tellement forte ?

— Va le demander à tes Jésuites.

— Des traîtres, des vendus, des salauds, oui ! Va leur demander si Carcassonne...

— Encore !

— ...avait besoin d'eux. Tu l'as vue, toi, Carcassonne ? Ils pouvaient bien s'y frotter pendant des siècles. Ils ne l'ont eue que par traîtrise, tes génies du Nord ! N'empêche que si l'accent leur déplaît, ils peuvent

aller passer leurs vacances ailleurs. Moi, personnellement, je leur laisse le Nord pour filer dans le Midi... »

J'ai dû avoir une lueur d'espoir dans les yeux car
il a enchaîné :

« ...Pour les vacances seulement, puisque tu as su
si bien m'entraîner. »

Son excitation grandissait.

« Et qu'est-ce qu'il t'a donné pour les repas ? Quinze
mille francs par mois. Oh ! on est grassement payés,
non ! Moi, je vais chercher le pain ; tu es fatiguée,
tu as mal à la tête, aux jambes. Enfin, tu passes le
temps à m'emmerder. Moi, pendant huit jours, je
lui ai trié ses livres, et j'ai fait la cuisine. Et on s'entendait. Tu arrives et alors patatras, tout en l'air.
Ne fous jamais une fille au milieu d'hommes ; elle
déclenche le bordel. Et pourquoi ? Parce que je ne
soutiens pas la comparaison, je suis le jean-foutre,
le peigne-cul importé. Tu parles, à côté de LUI !
Je suis un ver... Je l'écrirai un jour à ma mère, tout
ça, elle qui te trouve si bien, qui croit qu'avec toi
je ferai mon chemin. Elle ferait mieux de parler de
calvaire. Bon sang ! Quand je pense que j'étais si
heureux, chez moi, dans ma maison. Là au moins,
pas de réflexions, des repas chauds et, à la porte
celui qui n'était pas content... et de la verdure, et la
mer à quinze bornes, et la montagne à cinquante.
Ici, rien que la perspective de regarder par la fenêtre
des foules qui courent ou alors te voir, toi, galoper
derrière lui. Avoue que... oui. »

Il est reparti en claquant la porte.

Une nuit, il m'a réveillée vers deux heures du
matin.

« Nous allons nous expliquer tous les trois.

— Mais il dort !

— Peut-être qu'il dort mais, moi, je ne dors pas ! »

Et comme je faisais mine de m'enfoncer sous les
couvertures, il m'a soulevée avec une force incroyable
pour un bras aussi maigre.

« Si, si, lève-toi, on va y aller, je te fourrerai dans
son lit parce que c'est ça que tu veux. Mais je préfère le lui entendre dire, à LUI. Vous m'avez l'air
de deux trains qui regardent placidement passer une
vache mais moi, je n'en peux plus ! »

J'ai tourné la tête, il l'a ramenée d'un geste sec :

« De la franchise, que diable ! On ne va pas continuer à tourner en rond et se bouffer les foies. Et
tu veux dormir ! Trop commode, je regrette, tu ne
dormiras pas et tu vas te lever.

— Non. »

Ses sourcils formaient la barre têtue des mauvais
jours.

« J'ai dit : « Tu vas te lever. »

— Non.

— Tu as peur ? Oh ! pas pour toi, pour lui. Tu ne
veux pas qu'on abîme son bon petit sommeil d'ange,
de type-qui-n'a-rien-à-se-reprocher ; les remords ne
l'étouffent pas, celui-là. Il dort. Je ne dors pas et il
faut qu'il dorme ! »

J'ai essayé d'avoir du courage.

« Et si tu partais ? »

Je lui ai coupé le souffle. Il m'a regardée fixement,
presque avec horreur.

« Partir ? Mais où, partir ? Chez ma mère, pour
lui causer du chagrin, dans le patelin, pour que tout
le monde se foute de moi ? Ils en feront des gorges
chaudes si je reviens ; je les vois d'ici. « Elle l'a
renvoyé comme un petit garçon, vous pensez, une
fille qui avait l'air riche ! » — riche comme moi,
je te ferai remarquer en passant — « et elle se
foutait pas mal de lui. »

— Oh ! tu sais, les gens, tu ne feras jamais rien
si tu les écoutes.

— Mais ce n'est pas toi qui y passeras. Je sais que
je n'ai pas grand-chose à attendre de toi ; ta compré-
hension, je sais pour qui tu la réserves ! Mais je ne
peux pas partir. D'autre part, si tu crois que cette

vie va continuer, tu te fourres le doigt dans l'œil. On ne peut plus travailler correctement. Hier, j'ai déchiré des commandes de papier ; je reçois les clients sans les écouter ; ils doivent me prendre pour un fou. D'ailleurs, je me sens quelque chose de pas catholique dans la casserole et je t'assure qu'aussi vrai que je m'appelle Lartigue, je ne vais perdre ni ma vie ni ma santé pour deux cocos comme vous. Mais avant, je veux vous dire mon fait à tous deux, ensemble. Alors, tu viens ?

— Non.

— S'il faut que je t'emmène par la force, je t'y emmènerai, de gré ou de force. »

Il marchait de long en large, de la fenêtre au lit. Le vieux plancher craquait et ses orteils d'une longueur anormale s'agitaient curieusement.

Je me sentais blême de fatigue et de lassitude..

« Cesse de marcher, ça me fiche le vertige !

— Que veux-tu que je fasse si ce n'est de marcher ? Il faut bien que je détende mes nerfs de quelque façon. Toi, tu t'en fous, tu ne souffres pas, mais moi, qu'est-ce que j'endure ! Si seulement, une seule fois, tu avais voulu te mettre à ma place. »

J'ai soupiré :

« Si j'avais su !

— Bien sûr, si tu avais su, on s'en serait tenus aux petits lapins que je ne voulais pas écraser, à ce pauvre Paul sentimental qui croyait que tu l'aimais. Et au fond, qui a remué dans toute cette histoire ?

— Moi.

— Je ne te le fais pas dire ; j'ai suivi comme un enfant, sans me douter que tu te fichais de moi.

— Je ne me fichais pas de toi ; j'étais sincère mais je crois que tu n'as pas compris beaucoup de choses.

— Evidemment, puisque je suis l'idiot du village ! Et qu'est-ce que je n'ai pas compris ?

— Qu'il y avait l'attrait du passé, que tu m'avais

ignorée au profit des autres filles et que j'étais heureuse que tu t'occupes un peu de moi.

— Oh ! que je m'en occupe ! Parlons plutôt de revanche, de bonne vengeance : on ne m'a pas fait marcher jeune, alors on va me faire marcher vieux.

— Vieux, tout de même pas !

— Disons mûr ; seulement, autrefois, ça n'avait pas d'importance. Je t'aurais plaquée il y a belle lurette, mais maintenant, non.

— Mais enfin, qu'est-ce que tu attends de moi ?

— Que tu m'aimes, je n'y compte pas. Tu ne m'aimeras jamais. Mais au moins un peu de tendresse ! Ne pas toujours me faire sentir que je suis la cinquième roue du carrosse ! Est-ce qu'au moins tu te rends compte comment tu l'embrasses, lui ? Ça semble très doux quand on te voit faire. Alors, ce que tu fais pour l'un, tu pourrais le faire pour l'autre ! »

Je me suis défendue maladroitement.

« Tu ne comprends pas qu'il y a des habitudes dans une vie. Je fais machinalement certaines choses. Que tu ne les approuves pas, d'accord, mais au moins mets-toi un peu à notre place.

— C'est cela ! notre place ! Pas à ma place, à notre place. Tu ne vas tout de même pas te figurer que je vais me mettre à sa place ? Il s'y met, lui, à la mienne ! Il tire la couverture lentement, parce que ce n'est pas un pressé, mais il la tire, sûrement, parce que par contre, c'est un diabolique. »

« La colère des imbéciles emplit le monde, la colère des imbéciles emplit le monde », cette petite phrase dansait dans mon crâne. Il s'est assis, épuisé. Pour retarder l'échéance, je lui ai pris la main :

« Voyons, Paul, couche-toi ; nous sommes abrutis. Demain, nous y verrons plus clair. »

Il s'est glissé dans le lit et m'a serrée à m'étouffer.

« J'ai envie de toi. »

Cette phrase, il la prononçait après chaque dispute.

Je ne pouvais plus me rendormir. « Ma vieille, pour du boulot, c'est du beau boulot ! Jacques va se marier et je reste seule sur une longue route. Il faudrait peut-être que je me suicide. » Je calculais : « Au gaz, c'est trop long, je le fermerais; au revolver, je me raterais ; non, plutôt quelque chose de rapide qui ne me laisse pas le temps de regretter. » Ces calculs étaient décourageants. Là n'était pas la voie. Mais quoi, tout devenait fastidieux, sauf les rares moments passés dans le bureau, où je restais muette comme une carpe.

Je devenais, par orgueil, timide avec Jacques. Que devait-il penser de « mon amoureux si affectueux » et qui ne faisait que râler ? J'avais surtout honte de ses dents ; ça devenait mon obsession, ces dents. Je les imaginais tous avec un haut-le-corps devant ce bridge noir qui branlait. Lui, au contraire, ne faisait qu'en rire et défiait « les gens du Nord ».

Pour l'instant, seule dans le noir où Paul reposait, l'âme en paix et la conscience tranquille, j'essayais d'apercevoir l'armoire de Mémée, tout en pensant à cet épisode de roman où un personnage nommé Daniel va noyer des chats. J'étais un de ces petits chats, enfermé, crispant ses pattes sur le bord du panier mais ne pouvant rien faire. Je mordillais bien sûr l'osier mais... Paul dormait la bouche ouverte ; j'avais une envie folle d'écraser cette tête. Puis je me suis endormie. A travers mes yeux mi-clos, je l'ai vu qui s'habillait à toute allure et j'ai pensé qu'il ne se lavait pas aussi bien que Jacques. Dès que j'ai entendu la porte se refermer, j'ai filé au bureau. Jacques dormait, recroquevillé sur lui-même. Un livre gisait à l'autre bord du lit.

Je le regardais, songeuse, et j'ai décidé de ne rien lui dire de la dispute de la veille. Pour échapper au drame, il serait bien capable de se marier plus vite.

Il a dû sentir une présence car il a ouvert les yeux.

J'ai souri :

« Et alors, comment va ?

— Bien, je vais bien ; peut-être un peu mal au foie mais à part ça... »

Il a enfilé sa vieille robe de chambre tout effilo-chée aux coudes :

« J'ai lu très tard dans la soirée ; ils ont enfin traduit *L'Homme sans qualités*. Très bon livre, curieux, tu devrais le lire.

— Oui.

— Rétrospective de toute une société. Bien fait.

— Oui. Tu vas te marier ?

— Oui, certainement... Il le faut, non ? Tu n'es pas de cet avis ?

— Bien sûr, mais c'est dur.

— Je comprends. Les événements vous portent et on finit ainsi. Que veux-tu que je fasse ? »

Je n'ai pas osé lui reparler d'Antony.

« Si tu partais en Amérique ?

— Mais pourquoi l'Amérique ?

— Puisque, maintenant, tu as un peu d'argent ? Ta mère en a suffisamment laissé, non ? et puis tu disais que ça t'amuserait de voir la vie américaine.

— Ce serait une idée à creuser, oui, peut-être. Tu voudrais que j'y aille pour réfléchir ?

— Oui, parce les événements vous portent, mais on a bien le droit de se défendre contre les événements.

— Oui, bien sûr. Quoique, je lui aie parlé hier, et qu'elle a fait des bonds de joie. Difficile de retour-ner en arrière.

— Parce que tu lui as dit ?

— Oui, il faut bien faire quelque chose. »

Je me suis mise à pleurer et lorsque j'ai relevé la tête, il pleurait, lui aussi, adossé contre la bibliothè-que. Je me suis approchée et j'ai pris sa grosse tête pour l'embrasser :

« Ne pleure pas, va, petit ours, c'est moi qui suis une sotte de me transformer en fontaine.

— On est malheureux.

— Oui, on est malheureux.

— C'est comme à Antony. »

Il m'a souri.

« Tu t'en souviens ?

— Oui.

— De la petite gare noire et du vieux bistrot ?

— Oui. »

Je ne pouvais plus arrêter mes larmes. Il m'a prise dans ses bras.

« Allons, allons, puisque tu sais très bien que rien ne nous séparera.

— Mais je ne te verrai plus !

— Bah ! Tu n'es pas encore partie.

— Mais il va bien falloir que je parte.

— On verra. Plus tard. Tu sais, c'est pour cette petite fille. Il faut que je m'en occupe, qu'une fois dans ma vie je prenne des responsabilités. Ce qui doit arriver arrive.

— On fait une bêtise.

— Qui le sait, et puis, celle-là ou une autre. Tu sais, nous... Je ne peux pourtant pas lui dire maintenant que j'ai changé d'avis, qu'on ne se marie plus. Pour cela, il faut du courage, et du courage, je n'en ai pas, ou plutôt... faire de la peine gratuitement, je ne peux m'y résoudre. T'en fais donc pas, tout ira comme par le passé. Sois mignonne, va ! »

Il annoncé la nouvelle à Paul, qui a bougonné :

« Vous vous êtes décidé trop vite. Enfin, vous faites comme vous voulez et les autres n'ont pas à juger.

— Oui, bien sûr. Tenez, voici deux billets pour aller au théâtre, Hélène et vous, ce soir. »

Paul a protesté :

« Mais non, pas du tout ! Allez-y plutôt tous les deux ensemble. J'irai au cinéma. »

Jacques a insisté :

« Si, si, c'est une très bonne pièce. Vous apprécie-rez, j'en suis sûr. »

Paul a tranché :

« Non, non, le théâtre m'horripile... Vraiment, allez-y. »

Sur le boulevard, Jacques me tenait le bras et j'étais heureuse de ce geste que je n'aime pourtant pas.

« Tu sais, cette petite chouette dont parlait Eve, l'autre soir, je peux t'en offrir une.

— C'est très très cher. Tu es fou !

— Mais j'ai de quoi la payer. Demain, je te ferai un chèque.

— Toi, tu me fais l'effet de n'être pas à ton aise. Paul non plus, à midi. Il voulait nous faire plaisir. Toi, maintenant, tu cherches à me faire plaisir. Mais je n'ai pas besoin de bijou. »

Je savais qu'Eve aurait pensé : « Ma vieille, tu me fais l'effet d'une de ces cocottes 1900 dont on se débarrasse par un beau cadeau. »

« Es-tu sûre au moins qu'il n'est pas trop voyant ? m'a-t-il demandé, l'air inquiet. Tu sais comment je suis, pour les bijoux ou les boucles d'oreilles ?

— Oh ! non, je l'ai vu, c'est une petite pierre de lune avec une tête d'or.

— Bon, je te crois, parce que... je ne t'ai jamais beaucoup gâtée, et du moment que ça te fait plaisir.

— Oui, et puis, c'est toi.

— Bah ! tu m'oublieras, tu verras ce que je te dis !

— Ne fais donc pas ta petite putain. »

C'était une plaisanterie dont il riait, mais ce soir-là, il paraissait angoissé.

« Non, je crois ce que je dis ; c'est toi qui oublieras, rappelle-toi ce que je dis ! »

Il a pris une marche saccadée qui trahissait ses préoccupations :

« Je sais, je sais, et tout est triste, si triste. »

Il s'est retourné vers moi, sous le coup d'une idée nouvelle.

« Mais lui, comment va-t-il prendre la chose ?

— Mal, je crois.

— Embêtant. Qu'est-ce qu'on va faire ?

— Enfin, tu peux bien m'offrir un bijou.

— Pourquoi soulever toujours des complications ? Très ennuyeux, cette histoire.

— Ne t'inquiète pas, je vais m'arranger. Eve, peut-être ?

— Non, il ne croirait pas. Elle est toujours très fauchée malgré son argent.

— Bon, je m'en charge et je dirai la vérité. »

Paul a très mal accueilli la vérité.

« Il en profite, au moment où je n'ai pas un rond ! Vous allez au théâtre et tu reviens avec un cadeau !

— Toi aussi, tu m'as fait un cadeau.

— Moi !

— Eh oui, toi ! Pourquoi es-tu allé au cinéma ?

— Je n'aime pas le théâtre, il valait mieux que vous y alliez tous les deux. Il est beaucoup plus calé que moi... lui, il peut te donner des explications si tu ne comprends pas... Parce que moi...

— Tu es de mauvaise foi ; d'ailleurs tu es toujours de mauvaise foi.

— Peut-être, mais moi, je ne suis pas faux jeton. Figure-toi que j'aurais parlé devant lui de ce bijou, si heureusement...

— Curieux acte manqué.

— Quoi ?

— Tu as dit « heureusement » au lieu de malheureusement.

— Oh ! ça va, ne détourne pas la conversation. Tu vas le prendre, ce bijou ?

— Oui.

— Mais c'est parfait. Je sais ce qu'il me reste à faire. »

Il est parti immédiatement se coucher et, le lendemain, n'est pas rentré pour le déjeuner. Vers six heures je suis allée porter mes traductions chez l'éditeur.

En revenant, j'avais au moins une heure de retard. Paul m'attendait, l'œil noir :

« Où étais-tu ?

— Chez l'éditeur !

— Avec deux heures de retard !

— Non, une heure. »

Il s'est levé pour me crier violemment dans la figure :

« Sale petite garce.

— Je... »

Il m'a acculée contre le fourneau à gaz et j'ai reçu une gifle magistrale. Il hurlait :

« Toujours à me berner ! A me faire prendre des vessies pour des lanternes ! Où étais-tu à traîner encore ? »

J'ai reçu une autre gifle.

La porte du bureau s'est ouverte et Jacques est apparu, blême, les dents serrées, exactement comme lorsque j'essaie de nettoyer sa table de travail et qu'il s'emporte : « On a touché à mes papiers, qui est-ce qui a touché à mes papiers ? »

« Ne la touchez pas et foutez le camp ! »

Paul a levé le bras mais Jacques l'a empoigné et lui a donné un formidable coup de poing au menton. J'ai pris Paul par-derrière et lui ai martelé le dos.

Paul, d'un coup de derrière, m'a renvoyée mais n'a pas essayé de toucher Jacques, qui est parti ouvrir la porte d'entrée :

« Et maintenant, foutez le camp, on vous a assez vu ! »

Paul n'a pas bougé.

« Allez, dehors, et vite ! »

Mais Paul est resté immobile.

Jacques est alors retourné s'enfermer dans son bureau, mais Paul ne lui a pas laissé le temps de refermer la porte ; il s'est engouffré à sa suite et je l'ai entendu s'expliquer, s'excuser et supplier. Finalement, il est venu me rejoindre dans la cuisine :

« J'ai maintenant les preuves de ton amour ! Si tu crois que je n'ai pas senti tes coups de poing ? Tu avais sans doute peur que je ne te l'abîme ! Sois tranquille, je ne l'aurais pas touché parce que j'avais tort et je n'étais pas chez moi... Je préférerais être mort », a-t-il ajouté.

Il s'est donné un coup de peigne et est sorti.

Je me suis enfermée moi aussi dans la chambre pour travailler mais j'ai rêvassé. « Heureusement que maman n'était pas là ! » Car elle devait arriver le matin même. Le téléphone a sonné : elle était allée chez ma sœur Simone. A sept heures du soir, elle est arrivée avec ses valises.

« Tiens, j'ai demandé à Simone de me donner son vieux fer électrique ; j'ai vu que Gilberte n'en avait pas et, tu sais, puisqu'elle en a un moderne, j'ai pensé que pour l'autre, ce serait bien.

— Tu as dit à Simone que tu allais le donner à Gilberte ?

— Bien sûr, ce n'est pas une raison, parce qu'elles ne peuvent pas se voir, pour que l'une en ait deux et l'autre aucun ! Voyons ! »

A ce moment, Paul est entré avec Anatole, tous deux passablement éméchés, et précédant Simone de peu.

Je finissais de mettre le couvert. A peine étions-nous installés que Paul s'est levé brusquement de sa chaise :

« Naturellement, il n'y a qu'à moi qu'elle a oublié de donner le pain ! »

Je n'ai pas répondu.

« Elle le fait exprès. »

D'un coup de pied, il a bousculé la chaise qui est allée s'aplatir contre la fenêtre. Une vitre a volé en éclats. Paul a essayé de faire le tour de la table mais Anatole l'a agrippé. Paul s'est dégagé. Maman s'est interposée entre lui et moi.

« Laissez-moi lui foutre une beigne ! Elle peut se vanter de me faire devenir fou, hurlait-il.

— C'est vous qui la rendez comme ça », a dit maman.

Cette phrase a déclenché un nouveau drame.

« Ce n'est pas à vous que je parle, c'est à votre fille.

— Et vous ne la toucherez pas, moi vivante », répondait maman.

La voix furieuse de maman a arraché Anatole de son calme apparent :

« Il faut naturellement que vous soyez là pour tout compliquer et toujours avoir les mots qu'il ne faut pas. Ma pauvre femme, vous ne saurez donc jamais la boucler !

— Dites-moi, Anatole...

— C'est moi qui vais vous dire, moi, Anatole ! Oui, et si j'ai attendu jusqu'à ce jour de tout vous flanquer à la gueule, eh bien, ce sera fait aujourd'hui. »

Il a pris un air rusé.

« Parce que vous croyez que j'ai payé la moitié de votre voyage pour vous ménager un joli séjour, vous vous tourrez le doigt dans l'œil ; parlons un peu de votre sale caractère et de votre égoïsme, allons, expliquons-nous un peu ; je n'ai pas beaucoup d'élocution mais vous allez quand même y passer.

— Calme-toi, Anatole », a dit Simone.

Il s'est retourné, brutal :

« Toi, ferme-la. C'est à ta mère que je cause. Personne, dites-donc, n'a le courage dans votre famille de vous dire ce que vous valez, mais moi, je n'ai pas peur. J'en ai assez essuyé, des insinuations, que j'étais un persécuté — vous auriez eu bien du mal à trouver ce mot si quelqu'un ne vous l'avait pas soufflé car, tout comme moi, l'école, ça ne vous connaît pas de reste, hein ? Peut-être, oui, que je suis un persécuté, mais vous, vous êtes folle à lier, bonne pour le cabanon. Il n'y a que pour vos intérêts que vous n'êtes pas folle. Vous savez la manœuvrer, la corde faible, et dire après que vous avez tout fait ; oh ! pour commander, vous êtes bonne ; mais qui paie, après ? hein ? Pour « la maison », Madame commande : « Oui, « je vois ces escaliers, il leur faudrait telle largeur. » « Posez-moi ça comme ça, j'ai l'œil, vous savez. » Mais qui paie ?

« La Ducon, a-t-il dit en me désignant, celle-là, elle est tout juste née pour payer vos conneries. Et si encore elle avait de l'argent, mais il faut qu'elle saigne sang et eau ! De quoi l'envoyer dans un sana ! Vous n'avez pas les tripes d'une mère, vous êtes moins que rien. »

Maman a risposté :

« Vous pouvez toujours parler, ça ne m'atteint pas. On le sait bien, que vous ne pouvez pas sentir les femmes, toutes les femmes, et pas même votre mère ! »

Il a eu un geste menaçant :

« Stop ! Vous n'avez pas le droit de parler de ma mère. Si je me dispute avec elle, c'est mon droit et pas vos oignons ! Elle vaut plus cher que vous, et quand elle m'a donné des coups de tisonnier dans le dos, c'était parce que je n'étais pas assez propre. Ce n'est pas vous qui donniez des coups de tisonnier pour la propreté, hein, à vos filles, car pour ce que j'ai pu voir sur celle-là (il désignait Simone)... vous la connaissez, hein, la propreté ! Même pas capable de vous laver une culotte pour vous changer ! Il faut laver les assiettes, chez vous, si on veut bouffer, et après, ça vient faire du sentiment ! Le sentiment, c'est beau, ma vieille ; quand on compte sur le sentiment des autres...

— Anatole ! a supplié ma sœur.

— La paix, que je vide mon sac ; elle voudrait que je sois dupe ; elle a raconté aussi que je ne payais pas la pension de ma femme quand elle était enceinte, pendant que moi, avec ma paye de pauvre, je me serrais la ceinture. »

Maman a redressé la tête avec défi :

« Vous mentez et vous êtes méchant. »

J'ai lancé un coup de pied à maman pour la faire taire mais l'huile était déjà jetée sur un feu qui ne demandait qu'à brûler.

« Vous en avez fait à être pendue ! C'est comme l'histoire du landau. Hein, celui-là non plus n'avait pas été payé, non, bien sûr. Vous étiez assez riche pour me l'offrir. Vous êtes si généreuse ! N'empêche que vous avez su empocher lorsque vous l'avez revendu ! Et pas un mot pour m'avertir ! C'est curieux, vous ne l'ouvrez plus quand il s'agit de prendre ce qui ne vous appartient pas. Oh ! ce n'est pas les quatre mille balles que je regrette, je n'en suis pas encore là, mais c'est le geste que je ne vous pardonne pas. Comment le comprendriez-vous, vous-même vous n'avez jamais rien foutu que faire marcher votre langue chez les voisins. Vous auriez mieux fait de briquer votre cuisine et de vous occuper de vos filles ! A la Gilberte, vous auriez pu lui apprendre à ne pas déconner. La première fois que je la vois, c'est pour me dire qu'elle aurait préféré que sa sœur épouse un ouvrier de chez Renault, et la deuxième fois, c'est pour me parler d'un piano. Elle en pleurait, l'andouille, avec des trémolos dans la voix : « Maman se sacrifiait toujours, elle a revendu le « piano pour payer les dettes de mon père ; ce n'est « pas un geste de mère, ça ? » Inouï ! et elle croyait que ça allait mordre ! Des pianos chez vous ! On voulait jouer à la bourgeoise devant le pauvre persécuté, un piano qui était encore chez le marchand ! Vous en étiez foutue d'avoir un piano, tout comme moi ! Cette baliverne-là, c'était vraiment un morceau de roi ! Vous voulez savoir ce qui vous a manqué ? C'est d'aller travailler chez les autres, d'avoir un patron au cul et de faire des obus pendant la guerre.

Vous voulez ouvrir le bec sur ma mère, eh bien, c'est ça qu'elle faisait ma mère ! A six heures du matin à l'usine, jusqu'à dix heures le soir. Allez voir, pourtant, son ménage ! C'est briqué ! Oh ! évidemment, on n'a pas le temps d'aller faire marcher la langue, de raconter des boniments à droite et à gauche ou de jouer à la grande dame ! Tous vos voisins vous détestent ; ils se fichent de vous et vous traitent de sale langue. Vous en vouliez, du boniment, eh bien, en voilà ! Après, vous me reprochiez de vous enlever ma fille. Vous ne vouliez pas que je vous la donne à élever dans cette porcherie ! Vous lui torchiez le cul et tourniez ensuite un civet sans même vous laver les mains ! Bien sûr, je vois à vos yeux que vous vous en fichez, mais moi, je m'en fous que vous vous en fichiez, je vous ai, en attendant, cloué le bec d'une belle façon. J'en ai au moins pour mes sous et je vous assure que je ne les regrette pas, ceux-là ! J'aurais été jusqu'à même vous offrir le voyage entier. »

Paul l'a interrompu en le bousculant pour filer vers les W. C. Le verre brisé a craqué sous ses pas. On l'a entendu hoqueter. Il vomissait.

Il est revenu, le teint verdâtre, en se tenant le ventre. Il s'est assis près d'Anatole, qui avait repris :

« Quant à Ducon... »

Je n'ai pas voulu en entendre davantage. Mes yeux se brouillaient. « Voilà pourquoi il avait tant insisté pour lui payer la moitié du voyage. »

Je suis sortie, j'ai été me réfugier dans une grande pièce condamnée où des mannequins recouverts d'un drap blanc montaient la garde. Je me suis coincée entre deux caisses et j'ai replié mes jambes. J'avais froid, j'ai pris un sac de chiffons et j'ai déversé tous les chiffons sur moi. J'étais étendue à même le plancher. « Pars », me soufflait une voix. « Pars donc, c'est le moment. » Je regardais la pièce avec inquiétude et épiais d'où venaient les craquements. Jacques

m'a appelée dans le couloir. Je n'ai pas répondu. Je lui
en voulais. J'ai entendu ses pas s'éloigner.

« Si j'avais un revolver, je leur montrerais, à tous,
les réactions de Ducon. Non, jamais je n'empêcherai
Jacques de se marier, tout est bien ainsi, bien fait
pour moi, tant pis pour moi, tout, tout, tout. » J'ai
pleuré longtemps tout en tremblant de froid.

Un craquement de la caisse m'a fait me lever d'un
bond et ma lâcheté coutumière m'a fait les rejoindre.

Ils mangeaient silencieusement. Jacques m'a serré
la main, sous la table, très fort.

« Où étais-tu ? Je t'ai appelée !

— Dans la rue.

— Je comprends, c'est pourquoi tu n'as pas
répondu ?

— Oui. »

La place de Paul était vide.

« Où est-il ?

— Au lit, il ne tient plus debout.

— Ce n'est pas une raison pour mal terminer cette
soirée, a dit Anatole. Allons, belle-mère, vous ne m'en
voulez pas trop ? »

Maman a pris un ton résigné :

« Oh ! vous savez, j'ai l'habitude ; que ce soit ici
ou chez moi, j'en vois de toutes les couleurs. »

La voix d'Anatole vibrait d'espoir :

« Allons, allons, vous savez bien qu'il faut que les
choses sortent. Maintenant, on fait la croix dessus. »

Il s'est levé pour aller l'embrasser.

« Il faut parfois vous dire les choses en face. Ça
vous fait réfléchir. Tenez, je vais vous payer une
bonne bouteille à Montparnasse. Vous venez, Marceau ? »

Le regard de Jacques a pris cet air incertain qu'il
a quand il a envie de refuser. Mais il a sans doute
jugé qu'il valait mieux céder :

« Mais oui, avec plaisir.

— Je connais un endroit bien. Avec ma carte

d'inspecteur, ils y vont mollo, autrement, c'est le coup de barre.

— Et Paul ?

— Bah ! laisse-le se reposer, il en a un sérieux coup dans l'aile. »

Dans le taxi, nous avons eu des difficultés avec le chauffeur qui refusait d'aller à Montparnasse. Mon beau-frère a sorti sa carte, a tempêté et a voulu déclencher une bagarre. Nous sommes tous descendus et avons réussi à l'entraîner. Dans la petite boîte, il était impossible de respirer. Jacques me tenait la main. Anatole est parti danser avec Simone. Près de nous, un petit bonhomme blond et assez boulot a engagé la conversation :

« J'ai bu mais j'y vois clair. Donnez-moi donc votre main », a-t-il demandé à Jacques.

« Curieux, très curieux, cette main ; bien développée, et tellement féminine. Intuition, sensibilité, goûts artistiques, mamelons bien développés. Vous devez être dans l'imprimerie ?

— Hum ! a dit Jacques.

— Si, mais pas typographe, vous maniez du papier.

— Si l'on veut, a concédé Jacques.

— Est-ce que vous ne vous appelez pas Jacques ?

— Oui. »

Le petit blond a triomphé.

« Ah ! ah ! je comprends. Eh bien, mon vieux, pas de chance pour votre femme. Une seule vous tient au cœur, c'est votre mère et pour toutes les autres, une feuille d'artichaut. Mon vieux, il n'y a guère que votre mère que vous aimez.

— Et moi ? » ai-je demandé en avançant ma main. Mais le petit boulot m'a regardée d'un ton sévère :

« Je ne dis jamais rien aux femmes. C'est sacré pour moi. Un principe. Il n'y a que les mains des hommes qui m'intéressent. Tenez, montrez la vôtre, a-t-il demandé à mon beau-frère qui s'essuyait le front.

— Eh bien, vous, on ne peut pas dire que vous soyez conciliant ! Dieu, quel emmerdeur ! Je plains votre femme : vous avez toujours raison, vous n'acceptez pas la contradiction. Pourtant, du cœur, là, voyez cette barre, mais étouffé sous la hargne. On ne peut pas dire que vous êtes à l'aise. »

Anatole a retiré vivement sa main.

« Merci, ça va bien ! »

Regardant maman avec colère :

« Hein, que ça vous a fait plaisir ! »

Il est reparti sur la piste.

« Je te vois mal avec ce Paul, m'a dit maman. Mais pourquoi l'as-tu entraîné jusqu'à Paris ? Il est trop nerveux pour toi. Tu avais l'air si heureuse avec Jacques.

— Oui.

— Faites attention à elle, a-t-elle demandé à Jacques.

— Comme par le passé, rassurez-vous, madame. »

Anatole, en revenant, s'est penché sur moi :

« Décidément, tu as le chic pour dénicher l'oiseau rare. Mais pourquoi avoir fait ça ? Vous étiez bien tous les deux, non ? bien peinards dans votre coin. »

Jacques m'a regardée :

« Oui. »

Et moi de répéter :

« Oui.

— Je vais me marier dans huit jours, a dit Jacques, de l'air d'un type que l'on va fourrer dans une fosse. »

Anatole a tranché :

« Vous êtes deux andouilles ; on ne peut pas dire que vous ne l'avez pas cherché.

— Je me suis trompée et maintenant, qu'est-ce que je peux faire ? Il aurait fallu que je parle à la fin des vacances mais il avait quitté sa place et n'avait plus un sou. Je n'ai pas eu ce courage.

— Je te comprends », a dit Jacques.

Anatole, lui, n'a pas compris.

« Mais enfin, vous gâchez votre vie, quoi ! Enfin, merde, on ne vit qu'une fois et on le voit bien qu'il n'est pas pour elle. C'est un bon gars, mais qui ne va pas, quoi, avec elle ! Ça se voit comme de la merde sur une chemise ! Réfléchissez tant qu'il est temps. »

Jacques m'a fixée :

« C'est que... maintenant, c'est decidé. Je lui ai dit, à l'autre, et je ne peux plus faire de la peine ; je lui en ai assez fait. Je crois... que c'est trop tard. »

J'avais la gorge nouée. Maman s'essuyait les yeux.

« Eh bien, vous êtes dans de beaux draps. »

Le lendemain, Louis, un de nos amis, lui a donné le même conseil.

« Ne faites pas cela, Jacques, vous vous en mordriez les doigts jusqu'à la fin de vos jours. Vous dites que vous le faites par devoir, c'est le pire ; les remords, ça passe, vous savez. J'en ai tellement enduré avec ma femme que je ne conseillerai jamais à personne de se marier. Onze ans de malheurs, de dettes, de cocufiage ! Et qui plus est, je l'avais épousée par amour, elle ! Me piquer du fric, oui, voilà ce qu'elle voulait, et après, faire la bombe avec ! Le résultat, vous le connaissez : l'asile, où elle réussit encore à tromper son monde, et moi, seul, avec mes deux gosses. Beau bilan de mariage !

— Bien sûr, a dit Jacques.

— Allez donc vous aérer, puisque maintenant vous avez un peu d'argent. Filez à New York, puisque vous avez toujours dit l'aimer. J'ai de bons copains là-bas, qui vous emmèneront visiter ce qui vous intéresse. Et ma foi, si au retour vous voulez encore vous marier, faites-le. Mais au moins, vous aurez réfléchi.

— Louis m'a parlé comme tu l'as fait, m'a dit Jacques, profitant que nous étions libres un après-midi. Il est tout à fait opposé à cette idée de mariage. Mais, moi, ce que je crois surtout, c'est qu'il a bien envie d'aller faire un petit tour en Amérique. Je vais me décider à lui payer ce voyage, qu'il y ait au moins quelqu'un d'heureux dans toute cette histoire. Mon pauvre poussin, nous ne sommes pas très, très courageux !

— Si, à notre façon. Faire plaisir aux autres, c'est encore une façon d'être courageux.

— Tu as le sens du paradoxe, mais... que c'est donc difficile ! »

Il a pris un livre, a posé ses pieds sur sa table de travail et s'est balancé sur son fauteuil.

J'ai de nouveau relavé la cuisine, qui n'avait jamais autant brillé.

Paul m'a trouvée, pensive, sur une chaise.

« On ne peut vraiment pas dire que ma venue te réjouisse. »

Il a fait un signe pour me demander si Jacques était dans son bureau. A ma réponse affirmative, il a crispé ses poings et sa pomme d'Adam a sailli davantage :

« Tu devrais enlever ces points noirs, lui ai-je dit, ça fait sale.

— Bah ! j'ai déjà la maigreur, l'accent, je peux bien avoir des points noirs. Pour ce què je t'intéresse !

— Ce n'est pas spécialement pour moi, c'est plutôt pour les autres. Tu as l'air d'un garçon adolescent qui ne fait pas assez l'amour. »

Je me suis mordu les lèvres, trop tard.

« Parce que ça t'intéresse, toi, l'amour ? Je ne m'en suis jamais rendu compte ! C'est mon pot de tomber sur le même genre de femme, parce qu'avec ma seconde, c'était la frigidité. Toi aussi, tu joues à la frigide — avec moi, bien entendu — parce qu'avec les autres... Je n'ignore pas tout ce que tu as fait. Hé oui, ma pauvre vieille, il y a des gens qui se sont rendu compte de tes manœuvres. Demande plutôt à...

— Anatole.

— Non, ce n'est pas lui.

— Sans blague ! Serais-tu, toi aussi, faux jeton ?

— Ce n'est pas lui !

— Alors qui ?

— Quelqu'un de tes amis. »

Je me suis mise à rire.

« Je suis comme toi, je n'aime pas les couleuvres. »

Paul s'obstinait :

« Ne crois pas que c'est lui ; un point, c'est tout. En tout cas, lui m'a donné un conseil : « Serre-lui la « vis, elle en a bien besoin. Il lui faut un vrai mec. »

— Je vois que, près d'un Ricard, on se vide le cœur et on fait la concierge, et ensuite ?

— C'est tout ce qu'il m'a dit, mais l'autre m'a raconté que tu faisais la putain pour rapporter des rôtis à Marceau et qu'il n'avait pas à s'en faire puisque tu assurais le menu... et que j'étais venu me mêler de ce qui ne me regardait pas. C'est pourquoi j'étais l'indésirable, celui qui ne marche pas dans ces combines.

— Alors, pourquoi n'as-tu pas cru mes lettres ?

— Tes lettres ! mais tu ne m'as jamais dit que Marceau était un maquereau !

— Non, mais j'avais parlé de ma vie, dit que je désirais la mener comme je l'entendais, que tu te ferais très mal à cette façon de vivre. Donc, je t'ai averti.

— C'est faux.

— Alors, reprends les lettres, nous les consulterons ensemble. Figure-toi que l'argent des vacances n'est pas venu tout seul ; j'avais tout de même le droit d'avoir un ami, non ? Il nous a servi à tous les deux, mon AMI.

— Tu veux dire que tu m'as entretenu ? Mais j'avais de l'argent suffisamment pour moi. Tu sais combien m'a coûté le voyage de juin ? »

Je n'étais pas, cette fois, décidée à lâcher :

« A moi, trente-cinq mille francs.

— Et à moi, dix-sept. Toi, tu mens. Où seraient-ils passés ?

— Là où sont passés les cent mille des vacances. Si

tu veux des comptes, nous allons les faire. Alors, ce beau salaud te confiait que j'entretenais Jacques ?

— Oui, et qu'il se tournait les pouces pendant que tu payais les notes.

— Il faut donc que je sois très riche ; malheureusement, mon ami était un avare. Ainsi donc, je ne pouvais me promener et aider Jacques.

— Aider Jacques ! Pour lui, les mots sont faibles ! On l'aide ! Moi, on m'entretient. Mais il est si malheureux, si démuni, alors on le fourre dans une boîte capitonnée pour l'aider.

— Mais il a toujours travaillé. Et toi, pendant ces vacances, qu'as-tu fait, pendant trois mois, alors que tu n'en avais pas les moyens ? »

Il a bondi.

« Je n'avais pas les moyens ; en tout cas, je ne t'ai jamais demandé de rôti. Tu m'as entendu te parler souvent de rôti ?

— Non, puisque tu les mangeais.

— Répète-le encore une fois, je te casse la tête !

— Tant mieux.

— Alors, tu n'auras pas cette joie. En tout cas, tu es une belle garce et A...

— Anatole avait raison.

— A l'avenir, je crèverai que je ne te demanderai rien.

— Ça m'est égal de te donner mais ce que je te reproche, c'est ta méchanceté. Parce que tu es méchant, et toujours prêt à mordre. On te fait marcher, et tu sais pourquoi, toi qui as toujours raison ? Parce qu'Anatole est jaloux. Il te trouve chanceux. Pas un rond et déjà un appartement ! »

Il a essayé d'ironiser :

« Parce que tu appelles ça un appartement ?

— Tu conduis la voiture, et il voudrait une voiture, figure-toi ; mais il se fout de toi et il serait heureux que tu t'en ailles.

— Je sais qu'on se fout de moi. Si tu crois que

j'attends une affection quelconque, sauf celle de ma mère.

— Ma mère ! Toujours ta mère ! Moi aussi, tu me considères comme une mère qui rue dans les brancards. Je ne dois aimer personne, je te suis réservée, je dois te donner le biberon et je suis tabou : « N'y « touchez pas, elle est à moi. » Si j'ai de la tendresse pour Jacques, tu peux crier, tu n'y changeras rien. C'est comme ça. Alors, on va se faire rassurer, écouter les ragots. Anatole a des complexes, sans doute le coup de tisonnier, alors il veut s'en dégager et c'est toi qui le reçois, le tisonnier en pleine gueule, et pas dans le dos. Mais tu es logique et tu ne comprends rien. L'évidence te passe sous le nez et tu paies la rançon de ta logique.

— Oh ! ça va ! Je suis un abruti. Enfin, ce que je constate c'est que tu tournes toutes les situations à ton profit. Lui se fout peut-être de moi, quoique j'en doute, mais toi, tu te fous réellement de moi.

— Parce que je dois oublier sept ans de bonheur, sept années où je n'ai jamais eu peur, où j'étais comprise... »

Il a éclaté d'un rire qui sonnait faux, mais j'étais décidée :

« Je sais bien, le mot est malheureux, mais il dit quand même ce qu'il veut dire. Je dois remiser tout cela, lui tourner le dos, ne plus le voir nu et l'appeler « Monsieur », et quoi encore ?

— Merde, c'est décidé, je m'en vais ! »

Il a commencé à faire sa valise.

« Je te ferai remarquer que si je prends ta valise, c'est que ta mère a embarqué la mienne.

— Pourquoi fais-tu cela ? Les dés sont jetés ; Jacques se marie. Alors, tu sais...

— C'est ça... « Viens, rebut, reste parce que l'autre « se marie. » Si je pouvais l'étrangler !

— Je t'en empêcherais.

— Oh ! je le sais. N'en jette plus, la cour est pleine.

Il faudrait pour te faire plaisir que je m'étrangle moi-même mais ça, tu peux courir. Fini, la poire ! »

Il jetait deux chemises, deux cravates dans ma valise. Il a surpris mon coup d'œil :

« Je n'emporte pas grand-chose, té ! mais je n'ai besoin de rien. Un change suffit pour ce pauvre paumé ! Si ça ne te fait rien, prête-moi quinze cents francs.

— Pour quoi faire ?

— Pour l'hôtel. Tu sais très bien que je n'ai pas encore touché mon mois. Je ne voudrais pas encore revenir sur cette question, mais je te ferai remarquer gentiment qu'avec ce que nous donne ton grand amour, on ne va pas loin. »

J'ai grimpé sur une chaise pour atteindre le haut de l'armoire sur lequel il y avait l'enveloppe.

« Tu peux prendre davantage ; après tout... »

Il m'a interrompue brutalement :

« Merci bien ! Et demain matin, je sais où aller pour me tirer de ce bourbier. »

Il a bouclé soigneusement la valise et s'est assis sur le bord du lit.

« Mais avant de partir, tu permets que je te dise un mot ?

— Dis toujours.

— Voilà, je m'en vais, mais tu ne t'en tireras pas à si bon compte que ça. Si vous croyez dormir sur vos deux oreilles, ça alors, n'y comptez pas. Foi de Lartigue, vous allez le payer très cher, mais alors ce qui s'appelle très cher ! J'ai mon plan.

— Ah !

— Té, oui ! ah !

— Qu'est-ce que tu vas lui faire ?

— Tu vas LUI faire ? Mais à toi aussi, ma pauvre vieille. Oh ! ne crois pas au meurtre. Je ne vais pas vous tuer. La guillotine ou vingt ans de prison, avoue que ce serait idiot, pour deux cocos comme vous ! Non, mais téléphoner à la fiancée de Jacques — on peut bien dire ce nom, puisqu'il se marie — et lui raconter en un mot les coulisses.

— Tu n'as pas son adresse.

— Idiote !

— Et ce serait lâche.

— Est-ce que j'ai à me préoccuper de lâcheté ? Et vous deux, vous n'êtes pas lâches, peut-être ?

— Oui, mais pas de cette façon.

— Je me fous de la façon. La pauvre fille va faire une drôle de gueule quand elle va savoir qu'elle est tant désirée !

« Elle ne s'en doute pas, té ! Elle fera avec moi des bonds de tristesse. J'ai tout dans ma tête, bien inscrit, et ne crois pas que j'oublierai la plus petite des choses. Pour cela, fais-moi confiance, j'ai une mémoire d'éléphant.

— Tu es surtout méchant. Parce que tu souffres, tout le monde doit souffrir. Moi aussi, j'ai mal.

— Mais tu es bien consolée ! Ton Marceau te prendra sur ses genoux dans le bureau « interdit ». Et « mon Pilou » par-ci, et « mon Pilou » par-là, car il n'attend que cela : me voir disparaître, même avec ta valise. Il t'a bien offert un bijou, il t'offrira une autre valise ! « Bon voyage pour le trop maigre, « celui à l'accent » et je n'oublie pas d'ajouter : « aux points noirs. »

Il s'est levé, sa marche accélérée de la fenêtre au lit a recommencé, avec les mêmes craquements de plancher.

Il a allumé une cigarette et s'est plongé dans un abîme de pensées qui ne devaient pas être très optimistes, à en juger par son visage défait.

Il s'est de nouveau assis.

« Eh bien, je ne pars pas ! Après tout, ce serait trop facile !

— Couche-toi.

— Non, je ne veux pas de restes.

— Pas de méchanceté inutile.

— Ton égoïsme est trop fort, celui de l'autre aussi. Vous ne voyez tous les deux que vos petites affaires. « Surtout, qu'on ne me dérange pas. » Vous sapez, sans fracas, les sentiments des autres. Ce n'est pas toujours l'oiseau qui gueule le plus qui est le plus dangereux ! Non, vous y allez tout doucement, sans faire de bruit, comme dit la chanson. Il se charge de t'agiter comme une marionnette. Toi, tu ne bronches pas. Il est de verre, ton grand amour, qu'on n'y touche pas surtout ! Qu'importe si toi, tu prends tout ! Tu l'as installé sur un piédestal et tu te mets à l'adorer. Lui se laisse adorer. Qu'il t'aime, ça c'est une autre paire de manches. Ce con placide se laisse tranquillement adorer, et c'est pour ça qu'il me dégoûte ! Avec ses « bon, très bien, je comprends », il cache ce qu'il a dans la peau du ventre et ça ne doit pas être fameux, ce qu'il y a. Tu connais La Fontaine, il te dirait mieux que moi ce que ça cache, et le plus fort, c'est que s'il n'était pas là, on serait heureux.

— Comme dit la chanson.

— Et comme je dis avec ma franchise habituelle. »

Il a souri quand il est revenu l'après-midi pour sa petite inspection, devenue coutumière.

« Voilà, on se marie ; tu lui prépares ses beaux effets d'époux. Tiens, il fallait que je vienne à Paris pour voir des choses pareilles ! »

J'ai repassé la seule chemise de nylon que Jacques possédait. Les larmes grésillaient sur le fer. « Trop tard, ma fille, tu es cuite. » J'ai aussi brossé son costume bleu lustré. Je me souvenais bien de ce costume, acheté chez un tailleur bossu et malingre, dans une pièce qui sentait une odeur aigre.

Il m'avait téléphoné l'après-midi et le soir m'avait apporté une grosse brioche russe.

Les larmes avaient l'air de gros têtards s'évaporant sur l'acier du fer ; j'ai pensé que les mariages m'apportaient chaque fois des ennuis.

Voilà celui-là qui, maintenant, était pour demain matin ! « Ça lui portera bonheur, mes larmes. »

Le visage de Jacques ne reflétait pas beaucoup de joie. Il lisait du matin au soir, courait dans le bureau, prêt à se broyer la tête contre les murs :

« Je vais te faire l'autruche », disais-je parfois, et je m'enfouissais sous les couvertures ne laissant apparaître que mon derrière. Il pouffait et portait un mouchoir à ses lèvres. Je l'enlaçais et l'entraînais dans une valse lente en fredonnant :

> *C'est la valse brune,*
> *Des petits ours de la lune.*

« Ma petite, disait toujours Mémée, vous êtes son rayon de soleil. Vous l'avez transformé, notre Jacques. Il est si triste ! » Cette tristesse, il ne l'abandonnait que devant sa mère, pour devenir agressif. Il l'attaquait par des pointes méchantes, qui l'atteignaient au vif. Il refusait, par exemple, que le ramoneur entre dans son bureau :

« Jacques, disait sa mère, en secouant la porte d'entrée fermée au verrou, ouvre ! Mais ouvre donc, le ramoneur est là ! » Je faisais mine de me lever de ma chaise. Il mettait un doigt sur sa bouche et me soufflait :

« Bien fait ! Ça lui apprendra à s'occuper de ce qui ne la regarde pas ! T'en fais pas pour la porte, elle résistera. »

Les pas menus de sa mère s'éloignaient. Il me regardait d'un air satisfait :

« Hein ! »

Ensuite, sa mère m'interrogeait :

« Il me déteste, n'est-ce pas, mon petit ? Mais que lui ai-je fait ? Il a été gâté comme pas un enfant ne l'a été !

— Je crois qu'il vous déteste parce qu'il vous est trop attaché. »

Elle n'avait pas compris et avait essuyé ses yeux avec un mouchoir finement brodé :

« Je n'ai que lui et il ne peut pas me souffrir ; il m'attaque constamment ; lui, mon petit ! »

Je filais dans le bureau où il était prostré :

« Ma vie n'a aucun sens. Je ne suis pas à l'aise dans ma peau, tu comprends ce que ça veut dire ? »

Mon oui ne faisait aucun doute.

« Je me traîne dans la vie sans savoir ce qui me rendra heureux ou malheureux. Il faudrait que je voie si une analyse n'arrangerait pas ça, car continuer à sentir ce poids en soi devient intolérable ; il y aurait beaucoup à dire sur ce fait étonnant qu'on ne peut pas se supporter. »

Je sentais ce qu'il voulait dire mais je ne savais que répondre.

« Je pense en ce moment à Drieu La Rochelle ; par certains côtés, il devait avoir les mêmes difficultés. On a écrit des tas de conneries sur lui mais on n'a jamais songé à l'impuissance. Je reste persuadé qu'il se dégoûtait, et depuis longtemps. Pour moi aussi, rien ne va ; je suis incapable de n'importe quel travail, mes idées ne sortent pas ou, si elles sortent, c'est sans vigueur. Pour écrire, il faut de la force et je n'en ai pas, et ça me tue. »

Il concluait toujours :

« Tout est bien difficile. »

Mon repassage s'est terminé. En rangeant la couverture sur l'étagère, j'ai fait glisser un petit calepin recouvert de cuir de Russie. Il y avait là toutes les recettes pour être belle. Se baigner les yeux avec du thé enlevait toute trace de fatigue. J'ai pensé à mes yeux gonflés et j'ai fait du thé, qui infusait lorsque Jacques est entré.

Il a voulu ne pas voir ma triste figure et s'est enfermé dans le bureau, après m'avoir dit, d'un air embarrassé :

« Tu sais pourquoi je ne t'ai pas prise comme témoin. Il y a des choses trop délicates. »

Mais le soir, devant Paul, il m'a demandé, toujours en hésitant :

« Tu ne crois pas qu'il serait bon de préparer un petit repas ? Il est difficile de la laisser entrer ici sans faire un petit... »

C'est bien la première fois que je me suis révoltée devant une de ses initiatives.

« Ça non ! Je ne veux pas. »

Mais Paul est intervenu :

« Tu dois le faire ; qu'est-ce qu'elle penserait de toi, premier point, et, pour les rapports futurs, deuxième point...

— Oui, je crois... qu'ensuite, ce serait bien difficile de rattraper ce geste. »

Je devais éplucher les carottes, le lendemain, lorsqu'il a dû dire « oui ».

Avant qu'il ne parte, j'avais eu mille idées saugrenues : « Je lui déchire la veste, il est bien obligé de rester. » « Au dernier moment, il dira non et reviendra s'enfermer dans son bureau et lire. » « Je ne veux pas la voir, je lui fous les carottes en pleine poire », « je le punirai ».

Je n'ai rien dit et je n'ai rien fait.

Le repas a été cordial. Je le regardais et m'émerveillais. Moi, à sa place, j'aurais crié, trépigné et, mise au pied du mur, je serais partie. Il doit être ou plus faible, ou plus fort que moi.

Mais il mangeait calmement, fidèle à son dicton : « Les choses sont ce qu'elles sont », en tournant fréquemment son regard incertain vers Madeleine :

« Voyons, j'ai encore égaré ces sacrées gitanes », a-t-elle dit à un certain moment.

Jacques s'est levé précipitamment :

« Je vais t'en chercher.

— Mais non, ne vous dérangez pas, a dit Paul, en voici ! »

Nous nous échinions tous à cacher ce que nous pensions et nous n'étions que sourires, politesses. Il y avait là quelque chose de grotesque et d'absurde qui m'a fait tout à coup éclater d'un rire nerveux. Personne, cependant, ne m'en a demandé les raisons et le repas a continué dans une atmosphère de prudence.

« Pauvre fille ! a dit Paul, en se couchant. Si elle croit qu'il va se déranger toute sa vie pour aller lui chercher des cigarettes, elle se gourre. Ah ! la la ! celle-là n'est pas au bout de ses peines. »

Je me suis recroquevillée au fond du lit comme un fœtus.

« Et toi, tu me tournes le dos ! Pas même un geste de tendresse ! Pour moi, que des rebuffades, parce que tu es jalouse ! Tu ne le croirais pas, c'est un drôle de spectacle de te voir jalouse ; figure-toi qu'on ne s'attendrait jamais à cela de ta part ! Ça vous fait un drôle d'effet, on ne peut pas dire !

— Jalouse surtout que tu sois arrivé à tes fins, et pas moi aux miennes.

— Ne me dis tout de même pas que je l'ai fait, ce mariage ! Je l'ai presque empêché. C'est cela, on va bientôt dire que je suis le curé qui leur a donné la bénédiction ! L'honnêteté ne paiera jamais avec des loustics comme vous.

— C'est de tes efforts que tu es payé ! Tu as été constant, fidèle, loyal. Tu es récompensé. En attendant, il faut déménager.

— Déménager ?

— On ne va pourtant pas continuer à rester chez ce loustic qui n'est plus seul.

— C'est vrai, il faut maintenant devenir délicats ! Et où aller ?

— Ah ! ça !... A l'hôtel... »

Je ne lui ai pas dit qu'Eve m'avait proposé un petit studio dans l'immeuble de sa grand-mère. J'étais décidée à le faire chercher.

« On va faire comme tous les jeunes ménages en

concubinage, se cacher dans un hôtel borgne parce qu'on n'a pas d'argent. Enfin, on sera heureux puisqu'il ne sera plus là ! Au diable, la facilité ! Quand on aime, on peut se priver...

— Il ne sera plus là ! Oh ! je n'ai pas d'illusions ! On ne vous changera pas ; vous avez eu trop l'habitude de vous nourrir l'un de l'autre. Qu'il vienne, un jour, te dire dans ton hôtel borgne : « Viens, filons », je ne retrouverai plus l'oiseau dans le nid. Peut-être un petit mot, et encore... ce serait trop d'attentions.

— Ce que tu peux être...

— ...réaliste, je vois les choses en face. Tu l'aimes, lui, tu ne m'aimes pas et tu fileras s'il le dit. Quoique, maintenant, il ne faudrait pas te faire trop d'illusions. Il est trop lent pour bouger et le temps qu'il pense qu'il faut se mettre en route, il sera décidé à rester chez lui. Je le vois, lui, comme si c'était mon frère !

— C'est formidable ! Tu veux voir les choses une fois que tu nous as séparés. Je ne comprends pas : je ne t'aime pas, je repartirai avec lui et tu n'as pas lâché prise avant !

— Pour lâcher, il faut de l'argent.

— Mais il t'en aurait donné !

— Merci bien ; surtout pas un centime de lui. Et puis, repartir chez moi, je t'ai déjà dit que non. Plutôt crever ! Et je t'aime, moi ! Je ne veux pas te perdre.

— Tu ne m'aimes pas. Lui, m'aime.

— Oh ! merde, merde et merde. »

Il a fait un saut de carpe dans le lit et s'est éloigné vers le bord. Un de mes pieds l'a touché et il a reculé sa jambe comme si je le brûlais.

Pendant deux jours, il ne m'a pas adressé la parole.

« Qu'a-t-il ? disait Madeleine.

— Il joue la comédie. »

Cette comédie a duré près d'un mois, avec des valises faites et refaites, des invectives. « Je vais partir, maintenant qu'il est marié ; tu l'as dans l'os et je peux partir car il ne bougera jamais ! La punition arrive, après tout, je m'en fous de te plaquer puisque tu es dans le bain, toi aussi ! Il faut payer ses conneries, chère petite. Pour moi, ne t'en fais pas, j'irai à Lourdes me guérir de telles promiscuités, parce que je suis croyant et on a beau déconner sur Dieu, ton Marceau le premier, Il ne laisse rien sans punir. »

Il parlait comme maman. Nous dormions à peu près deux à trois heures par nuit.

« Mais que fait-il, à marcher toute la nuit ? disait Madeleine. Il va se crever. »

Il l'était déjà, crevé ! Sa maigreur me terrifiait. S'il me donnait un coup de cheville dans le lit, je poussais un cri de douleur.

« Eh bien ? questionnait-il.

— Tu m'as fait mal.

— Maigreur », répondait-il.

Il s'est alité, avec une crise de paludisme. Il m'a harcelée de mots aigres-doux.

« Sois malade à ton tour, tu verras ! Me porter le verre d'eau et ne pas même penser au cachet ! Si c'était du cyanure, tu te précipiterais : « Bois « donc, mon chéri, ça te fera du bien ! » Ad patres, le pauvre Lartigue ! Mort, enterré, bon débarras ! Je te gêne d'être malade, parfait, demain j'irai travailler. Mais ça, je vais le dire à ma mère ; si elle te porte aux nues, tu vas vite dégringoler... Toi, évidemment tu supporterais bien que ma mère continue à croire que tu es la meilleure fille de la terre ! Si elle savait ce que souffre son fils !

— Lieu commun. »

Il a eu un mauvais sourire.

« Je ne suis pas un beau parleur ; je laisse ça à qui tu sais. Je souffre de mon palu et de toi, voilà. Mais ma mère portait le cachet et l'eau.

— Oh ! la barbe ! »

Je suis partie sur mon tas de chiffons fumer une cigarette. « Le comble, c'est que je ne lui en veux pas, à cette Madeleine ! Seulement, il faut partir d'ici et il faut que je lui dise, parce qu'il n'a rien trouvé ! Il faut s'arracher d'ici, emporter mon ours et mon cendrier. Qu'est-ce que je vais pouvoir faire dans une seule pièce ? On sera toujours l'un sur l'autre, à se taper dessus, et tout cela, en plein quartier de putains ! Si une pouvait l'embarquer, mais il n'a pas le genre. Je les aime bien, les putains et elles me donnent des idées. Il faut que j'arrive à inviter Jacques deux fois par semaine ; s'il pouvait encore partir sur les routes, l'autre, avec ou sans gel ! Je suis fatiguée, fatiguée, fatiguée. »

Quand je suis revenue dans la pièce, il geignait.

Je l'ai stoppé brutalement.

« Où va-t-on ? As-tu trouvé quelque chose ?

— Moi ? tu veux rire ! trouver, mais avec quelles relations ? Toi et Marceau en avez, alors utilisez-les. Je lui débarrasserai le plancher et pour une fois il se grouillera.

— Ça va, j'ai trouvé.

— Mais c'est parfait ! Compte sur moi pour te suivre comme un bon petit toutou, dis, ma chérie, deux amoureux dans un bon petit nid douillet. »

Il a éclaté de rire.

DEUXIEME PARTIE

> *C'est avec tes poisons que tu t'es*
> *préparé ton baume ; tu as trait la*
> *vache* AFFLICTION, — *maintenant tu*
> *bois le doux lait de ses mamelles.*
>
> NIETZSCHE

« C'EST pas mal, ici, a dit Paul en voyant le studio.

— Du moment que tu ne verras plus sa gueule.

— Je suis prêt à constater que c'est un palace, c'est ça que tu veux dire ? »

Il s'est mis à regarder le plafond.

« Il faudrait y passer un coup de blanc. Je le ferai en revenant du bureau. »

Ces travaux m'ont permis de rester huit jours de plus chez Jacques. Lorsque j'étais toute seule, j'abandonnais mes traductions et me promenais dans l'appartement. « Je pars, oui, mais c'est quand même à moi, tout ici est à moi. »

« Prends ce qui te fait plaisir, avait dit Jacques, je ne t'ai pas beaucoup gâtée pendant toutes ces années et ce que tu prendras sera à toi.

— C'est propre, ici, a dit Paul, une fois que nous fûmes installés ; regarde ce plafond immaculé ! Et il n'y a aucun pli à la tapisserie, du beau boulot ! Ce n'est pas comme là-bas. La première fois que j'y suis

entré, je me suis dit : « Mais qu'est-ce que c'est que
« ça ? » Et toi, ça ne te choquait pas ?

— J'y étais bien.

— Il faut tout entendre ! Eh bien, moi, je suis bien
ici ; chacun ses goûts. »

Il revenait midi et soir en sifflotant, faisait les
commissions et lavait mon linge.

« Ça t'épate, té ! mais je peux tout faire ; j'aime
bien laver ton linge ! je ne le ferais à personne mais
à toi, si. »

Il repassait ses chemises.

« Avoue que je m'en tire bien ! Une qui serait
étonnée, ce serait ma mère ! Moi qui ne voulais rien
faire à la maison ! »

Cette belle éclaircie a duré à peu près un mois. Je
voyais Jacques tous les mercredis chez notre ami
Louis, qui avait essayé de nous aider à nous rencon-
trer. Nous ne disions jamais rien par pudeur. Louis
parlait, hanté par la conduite de sa femme :

« Elle m'a encore écrit que je la sorte aujourd'hui
de l'asile ; elle croit encore au Père Noël ! Ça lui
permettrait d'aller se confesser chez son directeur de
conscience qui lui dira qu'elle tient des raisonne-
ments de janséniste ; et moi, le cocu, il faudra que
je lui explique ce que c'est que le jansénisme !

— Vous savez, a dit Jacques, je crois qu'une analyse vaudrait mieux, dans son cas, qu'un séjour dans
un asile. »

Louis s'est indigné.

« Vous ne la connaissez pas ! Elle me demanderait
l'argent pour payer l'analyse et je la retrouverais,
comme un jour cela m'est arrivé, attablée avec un
Nègre qu'elle régalait. Non, elle est indécrottable !

— Je n'en suis pas si sûr que ça.

— Mais enfin, c'est tout de même moi qui ai l'expérience de cette femme, s'est étranglé Louis ; cela fait
au moins dix fois qu'elle entre à Sainte-Anne et en
sort pour découcher, passer des nuits à l'Armée du

Salut, présenter des mecs à mon fils aîné, qui les appelle « tonton ». Il y en a, des tontons de mon fils, à Paris ! Pendant ce temps, je lavais les langes et préparais les biberons de mon autre fils. Non, Jacques, ne me dites pas de ces choses-là. J'ai déjà mis assez de temps pour me débarrasser d'elle et si elle est à l'asile, que surtout elle y reste ! »

Jacques a concédé :

« Vous avez peut-être raison ; vous êtes seul juge. »

En partant, il m'a dit :

« Il ne s'en sortira jamais. »

Il m'a pris la main et m'a confié à l'oreille :

« T'es heureuse que je sois là ? »

J'ai pressé très fort sa main :

« T'es toujours mon petit Pilou, alors on est heureux. »

Sur le boulevard Raspail, nous nous sommes embrassés. Les gens ont souri. Il m'a parlé de sa petite fille.

« Elle me ressemble, n'est-ce pas ?

— Ton portrait.

— Je crains qu'elle soit plus que mon portrait. Difficile à manier, cette petite, mais elle est gentille. Elle vient me voir en cachette dans le bureau et m'observe, immobile au milieu de la pièce. Si je fais un geste vers elle, elle s'enfuit. On dirait qu'elle s'acclimate mal à ce nouveau milieu. Il est vrai qu'elle ne me connaît pas bien encore ! Enfin, ça viendra. Et toi ?

— Ça va. »

Je retenais ma langue ; je ne voulais pas me plaindre. Qu'est-ce que ça changerait ? Il n'était plus libre. Je disais simplement :

« Et toi, ça va ?

— Oui, pas mal, ça va. »

Il avait peut-être les mêmes pensées que moi.

Au métro Sèvres-Babylone, il m'a embrassée à nouveau et j'ai niché ma tête contre son épaule ; lui me tapotait doucement le cou. En descendant les marches, il m'a lancé un clin d'œil complice. Je l'ai regardé disparaître et l'angoisse est venue ; il emportait toute ma tranquillité, je ne voulais pas rentrer. Oui, le studio était gentil et propre mais ce n'était pas chez moi ; j'étais chez Paul.

La haine est montée doucement, je regrettais de n'être pas un lion pour lui faire craquer les os. Il n'avait jamais accepté ces dîners chez Louis et j'avais les plus grandes peines du monde à éviter une scène. Il ne s'est pas gêné cependant pour ironiser :

« Alors, on est allé se faire un peu plaindre ? Vous avez découvert que vous n'êtes pas bien heureux.

— Non, on a parlé de la femme de Louis.

— A d'autres ! la bonne blague que voilà ! Je vais plus loin ; même en admettant que c'est vrai, vous devez en conclure que moi aussi j'ai des symptômes d'aliénation et vous m'approfondissiez : « Le pauvre, « oui, a quelque chose qui ne tourne pas rond ; c'est « curieux de telles réactions. »

— Mais on ne parle jamais de toi.

— Ce serait assez dans les méthodes de l'autre, mais je ne te crois pas. Tu es mon ennemie, et tu ne m'aimes pas. On a fait tuer des gens pour bien moins que ça ! »

Cependant, le changement de résidence faisait son effet, il paraissait plus détendu et a continué à se laisser vivre en sifflotant, jusqu'au jour où Anatole a fait son apparition. Anatole a lancé un bref regard sur les meubles donnés par Marceau mais n'a fait aucun commentaire.

« Il y a une cour, ici ; pour la voiture c'est au poil, a fait remarquer Paul.

— Parce que vous avez pris aussi la voiture ?

— Bien sûr. »

Lui ne ressentait aucune gêne d'être installé dans les meubles et de saisir le même volant que le faux jeton et le salaud. Il n'y pensait même pas. Il a discuté politique avec Anatole :

« Il faut que ça change. L'histoire est là et j'ai remarqué que chaque fois que la France était à plat, quelque chose intervenait. Tiens ! remonte jusqu'aux Capétiens, en passant pas l'assassinat d'Henri IV, la France a eu de sales moments mais ça n'empêche que, je dirais presque mystérieusement, elle s'est relevée. Moi, j'ai confiance, et tous ces intellectuels de Paris ont beau parler, le système est pourri. »

« Non, mon vieux, vous n'y êtes pas du tout. Comment voulez-vous relever quelque chose qui est atteint à la moelle, vous ne pourrez jamais reformer l'os qui s'est décomposé ! » Je les emmerde, avec leurs discours de cons. Et on paie ça ! Bref, qu'ils aillent chier, moi, j'ai confiance.

— Je ne te dis pas que tu as tort mais, moi, je n'ai pas du tout confiance, à cause de la montée des Chinois. Il y aura d'ici peu un vrai péril jaune.

— Bah ! ils ne sont pas encore prêts.

— Ne t'y fie pas ; ce sont d'excellents imitateurs, les Asiates et les Russes, ils les foutront dans leur poche, malgré ce que dit Marceau. Lui n'y croit pas. Il t'entraîne dans de vastes considérations que tu ne peux pas suivre et d'où il ressort que je suis timbré. Tu verras ce que je te dis, les Chinois, c'est un péril pour l'Europe. J'y ai assez fait la guerre pour les connaître. Implacables, ces mecs-là, sous leurs salamalecs. Des courbettes, tu en as autant que tu veux et une heure après tu te retrouves, un couteau planté dans le cou. Tu vois, les Russes, c'est des Asiates, sûr, mais dégénérés. C'est ça et pas autre chose et il faut des connards comme les Amerlos pour s'y laisser prendre. Je les ai combattus en Indochine, les Jaunes, eh bien, ce sont des mecs qui ne rendent pas à l'aise. Ils font peur... »

Le téléphone, qui venait d'être installé une heure

auparavant, a grésillé. J'ai reconnu la voix de Jacques.

« Mais comment savais-tu que...

— Puisque tu m'avais dit qu'ils l'installaient aujourd'hui. Ce sont des gens précis, les types des P.T.T.

— Je suis heureuse que tu sois le premier à m'appeler.

— Ah ! oui ? Est-ce que je peux venir déjeuner demain ? Je suis dans le quartier.

— Mais bien sûr, voyons, je t'attends. »

J'ai raccroché. Paul a pris sa sale tête chiffonnée :

« C'était lui, n'est-ce pas ?

— Oui.

— Pas en retard. »

Peu lui importait qu'Anatole se soit lancé dans les rizières :

« Patauger jusqu'à mi-ventre dans leurs satanés marécages ou s'y ficher à plat ventre, voilà ce que nous faisions pendant des heures et des heures, et pourquoi ? Pour protéger les gros intérêts, les types à piastres, les spéculateurs. On nous a enlevé Leclerc, ils savaient bien pourquoi, les vendus, les pourris ! Sale graine ! En attendant, c'est moi qui suis pourri, avec un ver ; il prolifère, la sale bête. J'en ai mon estomac rempli. S'il monte au cerveau, je suis cuit. Crever pour des exploiteurs de guerre, pour des Mendès archi-vendus, tu m'avoueras que c'est pénible. »

Mais Paul ne pensait plus qu'au coup de téléphone de Marceau. Anatole, qui sentait ses paroles tomber dans le néant, s'est éclipsé.

Paul a écouté le bruit que faisait la porte en se refermant et a lancé :

« L'ordure !

— J'avais raison.

— Quoi ?

— Je savais que tu pensais : « ordure ».

— Voilà le défilé qui commence ; il ne·manque plus que les clairons et les trompettes. En avant !

une, deux, marche au pas, Paul, prends le métro un quart d'heure plus tôt pour acheter des côtelettes. Il faut le nourrir, le pauvre petit. »

Il a recommencé sa marche habituelle sans musique, en l'accompagnant de gestes désordonnés :

« Je vais être poursuivi. Après ton grand amour, ce sera Eve qui viendra nous dire pour la centième fois qu'elle est cocue et que son mari est un con. Ils sont intelligents, fins, sensibles, mais ils pourraient renouveler un peu le disque. Pour des gens à idées, ils ressassent un peu trop les mêmes choses et ils me fatiguent. Voilà l'autre, qui vient se mettre les pieds sous la table, comme ça, sans être invité. Il est vrai qu'il est chez lui ! Pourquoi se gênerait-il ?

— Il faut bien dire que nous vivons plutôt dans un décor Jacques.

— Et alors ? Il ne te le devait pas, peut-être ? Pour une foutue commode et quatre chaises !

— Et les tableaux ?

— Parce que tu les as pris, toi. Je ne l'ai pas vu te les donner. Toi, oui, tu les as demandés. Il n'en perd pas une, sous son air con et sa vue basse, le petit Paul. Dis-moi aussi qu'il t'a suppliée pour les prendre. « Il est si généreux, mon Pilou ! »

— Mais comment le vois-tu ?

— Comme il est ! a-t-il raillé. C'est drôle que les autres le voient différemment. « Je suis heureuse que « tu sois le premier à téléphoner. » Et si *moi*, j'avais téléphoné le premier ?

— Puisque tu étais là !

— Non, pour moi, ç'aurait été une réflexion : qu'une communication coûte 40 francs et qu'on doit faire attention, que je suis inconscient et que je jette l'argent par les fenêtres. Moi, je ne dois pas avoir envie de t'appeler. Ça coûte, je suis l'inconscient, etc... Mais oui, je peux le répéter parce que je te connais bien mieux que tu ne le penses. Tes amis sont de petits saints, moi un horrible obtus qui ne comprend rien à rien, mais qui doit s'enfiler deux heures de bla bla bla devant une table.

— Mange !

— Non, je n'ai pas faim. Si tu crois qu'on peut manger au milieu de toutes ces salades. Tu me diras que lui, ça ne le gêne pas. Il se sert le premier, prend les trois quarts du plat et s'excuse : « Je crois que « je me suis servi un peu trop copieusement ; je m'excuse. » Qu'il y ait une femme ou pas, il mange le premier, et que les autres se brossent. Enfin, on ne verra pas ses côtes comme on voit les miennes. Tu sais combien j'ai perdu, à ce petit jeu-là ?

— Mais tu es toujours le même.

— Cinq kilos ! Cinq kilos pour venir filer le parfait amour à Paris. C'est bien payé, surtout qu'il n'y a que moi qui aime ; tout ça dans la Ville-Lumière où je n'ai même pas vu la tour Eiffel.

— C'est provincial. »

Il a ri nerveusement.

« Gargarise-toi. Toi, tu n'es pas provinciale, hé ! peut-être ? Non, d'origine parisienne. On singe l'accent. Parce que tu l'as comme moi, l'accent. Ma pauvre vieille, tu as beau faire des efforts, tu restes bien de chez toi ! Enfin, il vient bouffer demain ?

— Oui.

— Alors, je ne serai pas là. Un sandwich sera suffisant. Après tout, quelques grammes encore de perdus...

— Mais personne ne te dit de rester dehors.

— J'en ai marre, marre de le voir. Mais il ne m'apporte rien, ce gars ! On n'est pas d'accord, ce qu'il dit ne m'intéresse pas. Alors, pourquoi le voir, dans ces conditions ? Et si je te demandais de recevoir mes amis ?

— Tu n'en as pas.

— Si, mais je les vois au bistrot. Tu leur montrerais trop bien qu'il ne leur reste plus qu'à décaniller. Je ne les amènerai pas parce que je ne veux pas passer pour une .ndouille. Etre mené par une femme, c'est bien assez que ton ami et moi le sachions.

— Tu as peur du ridicule ?

— Oui.

— Tu te trompes, je les accueillerais bien.

— Ils te parleraient, eux, du match France-Angleterre, et qu'est-ce que tu leur dirais ?

— Que je n'y connais rien.

— Et voilà ! C'est ce que je disais. Tu vois si je te devine ! Tu me dégoûtes, je m'en vais. »

Il est sorti pendant une vingtaine de minutes et est revenu en se frottant les mains.

« Ce que le monde est petit ! J'ai rencontré un type de Bayonne, qui travaille à la Trinité. On a parlé du coin. Un brave type. Il m'a demandé si j'étais célibataire.

— Et ?

— Et je lui ai dit que oui. Tu te vois, toi, avec un coiffeur comme relation ?

— Il pourrait me couper les cheveux.

— Pas assez chic, c'est un coiffeur provincial, qui ne parle pas des écrivains. Je le verrai au bistrot.

— Hum ! »

Il a bondi d'indignation.

« Parce que tu ne vas tout de même pas me reprocher un bock de cinquante balles !

— Mais je ne te reproche rien.

— Si, les gitanes. L'augmentation est trop forte. Je vais me remettre aux gauloises pendant que toi, tu fumeras des gitanes. Mais si, mais si, quand on aime, il faut faire des sacrifices. C'est à se demander si cette ville ne te rend pas marteau ! On peut vraiment dire que pour l'équilibre, tu les as tous rendus comme ça !

— Qui ?

— Les autres. »

J'ai chantonné : « La femme des uns sous le corps « des autres », puis j'ai dit :

« Je faisais ce que je pouvais.

— Tu ne nies pas ?

— Mais pourquoi puisque tu as l'air renseigné ? Dire que j'ai eu beaucoup de chance, non.

— Sauf avec Marceau.

— Tu le dis toi-même.

— Parce qu'il a passé son temps à te flatter. Ce que tu faisais était toujours très bien.

— Oui, il comprenait.

— C'est ça, joue à la profondeur. Voyons un peu ton âme. Tu couchais avec le premier venu, ça ce n'est pas de la profondeur. C'est un fait et j'aime bien les faits. »

J'ai pensé au Paul prévenant, sur les bords de mer à Biarritz. « Veux-tu ceci ? veux-tu cela ? fais atten- « tion de ne pas prendre froid. » C'est décidé, je suivrai Eve en vacances, pour avoir de bonnes jour- nées loin de lui, et je trouverai peut-être quelqu'un qui ne me fasse pas du mal, mais j'ai dit simplement :

« Tu parles comme mon mari.

— Qui a vite compris, té ! qu'il valait mieux mettre les voiles ! Il n'a pas moisi, celui-là, pour admirer tes grands airs et il a eu fichtrement raison car tu es incapable de donner la moindre parcelle de toi- même, sauf à l'autre, et je me demande encore comment. « C'est comme s'il était mon frère. » Des frères comme ça, j'en chie tous les jours. »

Jacques, en arrivant, a promené ses yeux dans la pièce.

« Où est-il ?

— Il va arriver.

— C'est bien, tu sais, finalement, ici. Les tableaux ressortent sur la tapisserie blanche. Dis-moi, est-ce que tu as toujours le papier que je t'avais fait ?

— Oui.

— Fais attention de ne pas le perdre. Il peut m'arriver quelque chose d'un jour à l'autre, tu sais. On ne sait jamais...

— Allons donc ! Ne me fiche pas le cafard.

— Rappelle-toi ce que je vais te dire. Si je cassais ma pipe, sors ce machin sans t'encombrer de sentimentalité. Les livres et les tableaux sont pour toi.

— Mais puisque, maintenant, tu as une petite fille ?

— Aucune importance ; ce papier est inattaquable, tu l'as bien ? Ce dont j'ai peur, c'est que tu le perdes. Tu me diras qu'il n'y a pas de hasard fortuit, mais j'y tiens, voilà tout. Alors, promis ?

— Promis. »

Il s'est penché par la fenêtre, puis s'est retourné :

« Oui, c'est bien. J'habiterais volontiers ici, tu sais ? La rue est plaisante et il y a largement de la place pour caser tous mes livres. »

Paul est entré et Jacques a pris cet air emprunté qu'il a devant les gens qu'il ne connaît pas.

« Bonjour, vous allez bien ?

— Bonjour, a répondu Paul, d'un ton assez cordial.

— Votre travail marche bien ?

— Oui, mais j'ai trouvé l'annonce d'une plus grande maison. Je vais tenter ma chance.

— Vous espérez être mieux payé ?

— Sûr. Là où je suis, ils ne peuvent se permettre un fixe important. Les affaires ne sont pas suffisamment fortes et la commission est très faible. Je regretterai ma tranquillité, car ils me foutaient une paix royale, mais il faut croûter.

— Je comprends. »

Les yeux vifs de Paul se sont posés sur nous et il a repris d'un ton indifférent : .

« L'ennui, c'est que je risque de voyager. Je sais que cette boîte est une caserne, ils m'enverront là où ils veulent. »

Il m'a, à nouveau, jeté un coup d'œil.

« Mais plus d'argent entrera ici, c'est l'essentiel.

— Bien sûr, a répondu Jacques, d'un air neutre.

— Seulement, y entrer sera dur. Enfin, qui ne risque rien n'a rien.

— Oui, mais examinez soigneusement les clauses avant de donner votre accord ! »

Cette phrase, Paul l'a ressassée tout l'après-midi.

« C'est incroyable, ce qu'il est faux jeton, m'a-t-il dit dès son retour, un monde de duplicité ! « Exami-« nez soigneusement les clauses » ! Bien sûr que je les examinerai. Quand je pense qu'il attend comme le Messie que je m'en aille, et il vous dit ça, en pleine poire, sans sourciller ! Fortiche ! Me foutre à la porte de chez lui, tu ne vas pas le nier, et s'apprê-ter, maintenant que je suis installé, à prendre ma place dès que j'aurai le dos tourné.

— C'est un ballet !

— Incroyable, et pourtant véridique !

— La réalité dépasse la fiction.

— Je ne te le fais pas dire, bien que ce soit pour te foutre de moi. T'en fais pas, ce n'est pas lui qui se plaindra de la pièce-cuisine. Il trouvera tout O.K. Ah ! vous devez le chanter, le refrain : « Prends la route. » Vous paieriez même quelqu'un pour qu'il m'engage, à condition que ce soit pour onze mois de l'année. Je t'enverrais un petit mandat, j'aurais des remerciements télégraphiques et, le douzième mois, on partirait tous les trois en vacances. Bien joué ! Seulement voilà, vous n'avez pas ça dans vos rela-tions. Dommage, ma petite vieille. Moi, je n'ai pas le temps pour toutes ces balivernes. J'écris à l'annonce.

— Tu crois que c'est sérieux ?

– Bien sûr que c'est sérieux ! On ne met pas des annonces pour des prunes, que je sache ! J'essaie, on verra bien et tu auras plus d'argent.

— Oh ! l'argent !

– C'est ça, joue à la détachée ! Ne montre sur-tout pas ton avarice, ça ne se fait pas, dans ton monde ! Il faut avoir certaine retenue, té, pardi, seulement ça se voit et là est le hic. Et si on allait au cinéma ?

— Je n'en ai pas très envie.

— Pas envie, évidemment, puisque c'est avec moi.

— Je n'aime pas le cinéma.

— Ça nous détendrait et on en a besoin, après toutes ces secousses. Tout près d'ici, ils passent un western avec Burt Lancaster. Formidable, ce type !

— Tu apprécies les westerns, toi ?

— Dis-moi tout de suite non, j'aurai compris. Tu n'aimes rien parce que tu ne m'aimes pas. D'ailleurs, j'ai remarqué que tu es toujours bien disposée quand tu as vu l'autre pendant la journée. Est-ce que tu vas voir, mercredi, ton ami Louis ?

— Bien sûr.

— Tu auras déjà vu Marceau et ça ne te suffit pas ?

— Louis m'attend, je dois y aller.

— Comme si tu y allais pour lui ! Mais est-ce que tu crois vraiment qu'il est dupe à ce point ? Il veut tout simplement vous aider et accepte qu'on mette tout sur son dos.

— Mais Louis est un de mes amis de toujours !

— Tout a changé maintenant ; enfin, merde, il est marié, oui ou non ? J'existe, tout de même ! Mais non, bien sûr, je n'existe pas. En tout cas, tu m'excuseras deux secondes, mais votre ami Louis, il pourra repasser, pour la délicatesse. Qu'il m'invite, moi ! Mais non, on lui a donné le mot : « Surtout, que ce « grand abruti ne paraisse pas ! » Vous êtes tous voués à la grossièreté et à l'indifférence, dans votre bande. Puis-je savoir de quoi vous parlez, pendant ce repas ?

— De l'Amérique.

— De l'Amérique ?

— Mais oui ; Louis la dépeint comme le paradis terrestre.

— Vous parlez de l'Amérique, alors qu'aucun de vous n'y a jamais mis les pieds ! Vous y feriez long

feu en Amérique, tous autant que vous êtes. Je vois
d'ici Marceau refusant un whisky parce qu'il souffre
du foie, se faire taper sur l'épaule, se confondre en :
« Pardon, je vous en prie, merci bien, non je vous
« assure, n'insistez pas », ou leur disant du ton le
plus simple du monde : « La politique américaine
« n'est pas des meilleures en ce moment ». En huit
jours, on vous classe comme les plus grands emmer-
deurs de la terre. J'y ai vécu, moi, deux ans aux
U.S.A. Je sais ce dont je parle. Vous dites quoi ?
    — Jacques propose de payer le voyage à Louis. »
    Paul en a eu le souffle coupé pendant deux bonnes
minutes, mais il a repris :
    « Le voilà donc en train de bouffer ses quatre
ronds ! Il ferait mieux de penser à sa femme et à sa
fille. Le voilà maintenant grand seigneur ! Il viendra
nous dire qu'il n'a pas de vacances, sa femme conti-
nuera comme une brute à taper dix heures par jour.
Non, non, impensable ! Je te dis que c'est de l'argent
jeté par les fenêtres.
    — Mais enfin, c'est lui qui décide.
    — Ça me fait mal au ventre. »
    Il a dit ce qu'il en pensait à Jacques, le samedi,
lorsque celui-ci est passé avant d'aller fouiller les
boîtes des quais.
    « Vous envoyez Louis aux U.S.A. ?
    — Il en est question, en effet.
    — Mais c'est de la folie ; il ne s'acclimatera pas !
Vous voyez, vous, Louis aux U.S.A. ?
    — Pourquoi pas ? En quinze jours, il peut observer
à New York des quantités de choses intéressantes
pour un Européen. Et il a une foule d'amis là-bas.
    — Je continue à dire que c'est de la folie.
    — Non, pas tellement. Je suis extrêmement curieux
de ce qu'il en rapportera. C'est une expérience, pour
moi, voyez-vous ? De toute façon, je lui souhaite d'y
rester. Pour la vie qu'il mène à Paris, ce serait une
heureuse solution.

— Vous savez, tout comme moi, qu'il n'y restera pas.

— Qui sait ? »

Ce voyage était suspect à Paul.

« D'ici qu'il l'ait envoyé en éclaireur, il n'y a qu'un pas et...

— Je crois plutôt qu'il a voulu rendre à Louis toutes les gentillesses que celui-ci lui a faites.

— Il est trop tortueux. Il a son idée derrière la tête. Non, plutôt l'envoyer tâter le terrain, voir si tous les deux, vous ne pouvez pas filer à l'anglaise...

— Plutôt filer à l'américaine. »

Il a fait celui qui n'entendait pas.

« Ce serait bien dans son genre. Lui ne se mouille pas et Louis, avec les copains, trouve une place pour chacun de vous. Mais pourquoi n'y va-t-il pas lui-même ? Enfin, est-ce que c'est normal de payer un tel voyage à quelqu'un sans avoir la curiosité d'y foutre soi-même les pieds ? Curieux... Si je savais... »

Cette idée l'a rendu perplexe pendant une semaine et il n'était pas encore guéri lorsque Anatole a fait sa réapparition. Anatole s'est montré très affecté de la nouvelle.

« Incroyable ! Et pendant ce temps, il vit sans chauffage dans un appartement trop grand. Si la petite n'y attrape pas une pneumonie ! Même pas un séchoir pour le linge ! Je ne sais pas, moi, mais à sa place, je m'installerais confortablement. Encore, s'il parlait de l'achat d'un frigo ou d'une machine à laver, je comprendrais, mais pour ça ! Il faut croire qu'il est drôlement foutu.

— Tiens, je n'avais pas du tout pensé à ce que tu dis, a commencé Paul.

— Mais mon vieux, c'est la première des choses qui vient à l'esprit ! Il vient de se marier et il n'a rien à domicile ; tu y vivrais, toi, dans un appartement pareil ?

— Non.

— Moi non plus. Tu vois bien ! C'était la dernière qu'il pouvait nous sortir. Enfin, ce n'est pas mon argent. »

Paul s'est curé le nez et Anatole, songeur, se promenait lentement dans la pièce, les mains derrière le dos. Il paraissait préparer un discours. Brutalement, il s'est décidé à m'adresser la parole :

« Je suis venu te parler de ta mère. »

J'ai dû prendre l'air étonné car il a repris vivement :
« Oh ! je ne veux pas reparler de cette histoire de Noël. Elle a reçu son compte, ça va. Mais vous savez que je lui avais commandé un jambon. Bon. Elle m'écrit une lettre où j'arrive à comprendre qu'elle l'avait acheté, salé, préparé. Je vous parle environ de trois mois. Bon. Elle l'envoie hier et je vois une meurtrissure du côté de l'os. Ça m'a intrigué. Je dis à Simone : « Amène le grand couteau, que je voie. » J'ai soulevé l'os et, dessous, il y avait un filet sanguin. « Ou je me trompe, tant mieux pour moi, ou « j'en suis d'un jambon de dix mille francs. » J'ai senti. Une odeur pas catholique. Merde, j'ai voulu en avoir le cœur net. Je tranche le jambon en deux et qu'est-ce que je m'aperçois ? Pourri à fond. Tu ne vas pas dire qu'après, je peux avoir des rapports normaux avec cette femme ? Je ne peux rien lui demander sans qu'on aboutisse à une catastrophe.

— Remarque qu'elle n'est pas dans le jambon pour voir si, oui ou non, il est sain, lui a fait remarquer Paul.

— Tu penses ! Qui te dit qu'elle ne l'a pas fait exprès. Elle l'a peut-être foutu dans un courant d'air. Un jambon n'y résiste pas. Du moment que c'était moi ! Tu parles ! Aucune précaution. Est-ce qu'elle l'a salé suffisamment ? Va-t-en vérifier, et si tu lui demandes des explications, elle jurera ses grands dieux qu'elle a tout fait. La comédie, quoi ! En tout cas, bel et bien, le jambon est pourri. Dix mille balles de foutues, et bêtement. Parce que j'ai du flair, et ce flair ne me trompe pas ! Elle s'est bel et bien arrangée pour me refiler un jambon pourri ! Et d'ici qu'elle l'ait échangé contre un des siens ! C'est qu'elle est capable de tout, cette femme ! De se garder bel et bien mon jambon parce qu'un des siens est malade ! »

Il se tournait vers moi :

« Tes parents ne vont pas se laisser facilement crever de faim et...

— Je crois que si maman l'avait su, elle en aurait acheté un autre plutôt que de provoquer encore une bagarre.

— Tu parles comme ta sœur ! Toujours Ducon, ma pauvre fille. Mais qu'est-ce qu'il faudrait te faire pour que tu puisses enfin ouvrir les yeux ? Mais comment tu les vois ? Et l'autre, qui pleurait, à la maison, non pas sur le jambon, vous pensez bien, mais parce que j'accusais sa mère. Enfin, toi, comment juges-tu tout ça ?

— Moi ! malice de ma vie ! Ça me rappelle une nouvelle de Marcel Aymé, mais c'était un cochon entier. »

Il s'est étranglé.

« Tu parles si je me fous des histoires des autres. J'ai bien assez de supporter les miennes. Mais ça ne se passera pas comme ça. Je lui ai écrit une lettre de quatre pages qui l'édifiera sur ce que je pense. Et j'exige le remboursement du jambon. Qu'elle s'arrange comme elle voudra, mais elle le paiera. Et puis, elle m'a revu chez elle. Je n'y remettrai jamais les pieds. Insensé ! Le Créateur ne l'a pas loupée, celle-là ! Qu'il puisse exister de telles créatures, c'est à se pendre ! Enfin, je m'en vais, mais je voulais te le dire, je l'avais trop sur la peau du ventre.

— Eh bien, en a conclu philosophiquement Paul après son départ, nous voilà avec dix mille francs de plus sur les bras ! Il va falloir les payer puisqu'elle en est incapable ! Il n'y a qu'à nous que ces choses-là arrivent.

— Je trouve ça d'un drôle !

— Moi pas, mais ce que je vois, c'est qu'on va se serrer un peu plus la ceinture. Puisqu'il a des parents en Auvergne, il ferait mieux de tâter du jambon de là-bas, parce que je ne voudrais pas que ça se renouvelle, leurs conneries. Tu as déjà le plancher sur le dos. Deux cent mille francs n'est pas une paille ! Il faut bien le prendre à notre charge puisque tu ne désires pas qu'ils passent à travers les planches. »

Le lendemain, au courrier, il avait tout oublié.

« Ça y est, ma candidature est retenue. Je passe un test. Qu'est-ce que tu crois qu'ils vont me demander ?

— Bah ! C'est uniquement pour avoir un aperçu général sur le candidat. »

Mais il était fermement résolu.

« Crois-tu qu'ils vont me questionner sur les livres ou la peinture ?

— Peut-être que oui. Place toujours Faulkner, il fait bien.

— Qu'est-ce qu'il a fait ?

— Des tas de choses... *Absalom ; la Fureur de vivre*... non, je me trompe, *Palmiers Sauvages*..., puis Camus, Guilloux. Un peu vieux, mais bon.

— Stop, je suis paré.

— Et pour la peinture, les classiques, tu connais. Et puis, on s'en fout...

— Mais moi je ne m'en fous pas ! Gouverner, c'est prévoir et si je réussis, je t'achète un beau bracelet. »

Il s'est approché de moi. La lumière tombait crue sur ses rides, mais ses yeux riaient.

« Je serais heureux, tu sais, si je réussissais.

— Mais tu réussiras.

— Non, je n'ai aucune confiance en moi. Chaque fois que j'ai essayé de me sortir du pétrin, il est toujours arrivé l'empêchement, le grain de sable dans les rouages. Par moments, je suis aigri et mauvais contre la vie. Ça a commencé à Aix, pour ma démobilisation. Ils me refusent une prime. Et moi qui croyais qu'avec ma gueule enfarinée on allait m'accueillir à bras ouverts ! Connerie, illusions. J'ai fabriqué des caisses pour les primeurs. Je clouais toute la journée. Après le bruit des mitraillettes, celui du marteau. Puis, j'ai trouvé un peu mieux, une représentation en chaussures. Je n'osais pas entrer chez mon premier client et je restais comme un ballot sur le trottoir avec ma valise. Maintenant, je m'en fous, j'irais bien chez le président de la République, s'il le fallait ! Mais avant... Enfin, tout n'est qu'une question d'habitude !

— Ne te décourage pas. Pars en te disant que tu vas gagner. Tu n'es pas bête.

— Toi, oui, tu réussirais. Tu es beaucoup plus intelligente que moi.

— Oh ! tu sais, l'intelligence ! Ça ne signifie pas grand-chose.

— Je sais ce que je dis et ça non plus n'est pas marrant, sentir la supériorité de la femme avec laquelle on vit tous les jours.

— Toi, tu as le cafard.

— Oui, un peu.

— Allons au cinéma, voir le western dont tu me parlais l'autre jour. »

Sur les boulevards, il me tint le bras. Nous passions en pleine fête foraine. J'aimais bien cette odeur de poussière mêlée de nougat et de poudre.

« Regarde le petit ours blanc. Tu le veux ?

— Oui, mais c'est difficile.

— Allons donc, autrefois, j'attrapais bien un pigeon en étant monté sur une jeep qui faisait le tour du terrain. Tu vas voir ! »

Il a descendu l'ours d'un seul coup de carabine.

« Tu vois ? Pas sorcier ! »

La marchande avait l'air soulagée de nous voir partir. Paul me l'a fait remarquer.

« Et si on l'avait dévalisée ? »

Dans l'obscurité du cinéma, je le sentais qui s'agitait. A un moment donné, il a ri comme un gosse.

« C'est formidable.

— Est-ce que ça t'a plu ?

— Oui.

— J'étais sûr que ça te plairait. Au moins, là-dedans, il y a de la bagarre, du mouvement, des chevaux. Moi, j'aime les chevaux. Il n'y a pas à dire, un cheval, c'est d'une classe terrible ! Cette bête vaut bien n'importe quelle belle fille sucrée.

— Oui.

— Je t'aime, tu sais, même si parfois je te fais de la peine. Oui, je gueule pour me persuader, je râle, mais j'ai besoin de râler. Dis-moi que je ne suis pas trop méchant ?

— Non, seulement parfois injuste.

— Je sais de qui tu parles.

— Moi aussi à qui tu penses.

— Tu as tort. Je ne peux pas supporter la pensée qu'il puisse t'arracher à moi.

— Comment cela serait-il possible ?

— Chut ! n'en parlons plus. Ce type m'électrise et quand tu parles de lui, je vois rouge. J'en ai peur parce que tu l'aimes et que ça se voit comme le nez sur la figure. Alors, je me sens seul, abandonné ; ça me fait le même effet que si ma mère mourait. Il me semble qu'avec des mots, je te garderai. »

Les statues se dressaient, blanches, dans le soir d'automne ; l'une d'elles était comiquement coiffée d'une feuille tombée. Les lampadaires éclairaient violemment les branches dénudées. Un petit vent frais s'était levé. Il a dit :

« Rentrons, tu as froid. »

Et il a posé son bras autour de mon épaule.

Trois jours après, à l'examen, le correcteur lui a dit en riant :

« Il me semble que vous avez une meilleure psychologie pour juger les hommes que les femmes.

— Bah ! m'expliquait Paul, après tout, je me fous pas mal de ce qu'il peut penser, pourvu que je passe. Que veux-tu que je dise sur des portraits de femmes moches comme des poux ? Mais pour les bouquins, je me suis bien défendu. »

Finalement, il a été accepté. Il rentrait tard de son nouveau travail et finissait ses rapports à onze heures du soir, ce qui lui a permis de se livrer un peu au chantage.

« Comme tu vois, une véritable caserne ! Une soixantaine de clients à voir tous les jours. C'est dur, enfin, c'est bien payé. Mais d'un pénible ! Si le mercredi tu n'allais pas chez Louis, ça me rendrait un fier service, je t'assure. Manger avec toi me serait d'un grand secours. »

La lutte recommençait. Je ne voulais pas céder, car là était ma meilleure chance de voir Jacques et de pouvoir me libérer. J'ai dit alors :

« Tu pourrais manger dans un restaurant ; je n'aime pas beaucoup faire figure de girouette et à la pensée... »

Sa bouche presque sans lèvres, que j'avais toujours trouvée méchante, a formé une ligne mince :

« Parce que les autres t'intéressent plus que moi !

— Là n'est pas la question, mais pourquoi me refuser une seule sortie ? Je ne fais que traduire du matin au soir, et un peu d'air n'est pas mauvais.

— Ça me fait mal, un point, c'est tout. Tu ne trouves tout de même pas normal de vivre maritalement et de m'appuyer un repas seul ! Ce ne sont pas les autres qui supportent ça ! Non ! Je te considère comme ma femme, et voilà ! Maintenant, si les autres veulent d'une vie dissolue, libre à eux de disposer d'eux-mêmes, mais pas de ma femme. Et... »

Il s'est tu, mais ce « et » était menaçant. Le mercredi suivant, nous descendions, Jacques et moi, le boulevard Raspail vers Sèvres. Tout au long du parcours, j'étais heureuse et j'embrassais Jacques qui souriait :

« Je fais comme si tu étais mon petit amoureux ! »

Je le regardais s'engouffrer dans le métro lorsqu'une main a saisi fortement mon bras :

« Je vous y prends, hein ! »

Jacques avait vu la scène mais il a préféré éviter toute discussion.

Le visage de Paul était convulsé par la rage :

« Après, tu me raconteras que je ne sais pas être affectueuse : « Moi, tu sais, c'est en dedans que ça se « passe. » En tout cas, cette fois-ci c'était bien en dehors ; l'embrasser dix fois au moins, te serrer contre lui comme une chatte amoureuse, se tenir la main comme des écoliers, ça, ce n'était pas en dedans ! Fourbe ! menteuse ! Rien ne te paraît ridicule dès qu'il s'agit de lui ! Vous avez vu vos sales gueules dans une glace ? Et ça venait me dire : « Je « n'aime pas beaucoup les démonstrations en public ; « s'il te plaît, ne me tiens pas le bras, il me semble « que je ne suis plus libre. » Tout ça, pour bécoter pendant cinq cent mètres un type qui vient de se marier ! Et lui, qui se prend pour un pacha ! Tu as l'intention de rentrer dans son harem ? Mais il ne vous estime pas et ce sera toi, cette fois, qui auras la porte de son bureau fermée. « No permit », ma vieille ! »

Il me secouait.

« Enfin, j'admire ! Tu ne me demandes pas ce que j'admire ? Mais son beau courage, pardi ! Il ne s'est pas retourné pour te défendre, il a eu peur d'un scandale dans la rue. Tout se fait à bureaux fermés chez lui ! L'infâme salaud ! C'est moi qui suis logique et franc ! Je me fous des gens, je les emmerde, les gens, et à lui, je vais lui casser la gueule, mais de telle façon qu'il ne s'en relèvera plus jamais. »

Il a passé sa main droite sur son front mouillé de sueur.

« Vous me foutez la tête comme un camion. Vous n'aurez donc jamais un peu de pitié ? Non. Il faut que je n'attende rien. Vous deux seuls ! Le reste de la terre, crevez ! Et l'autre, rester enfermée avec sa gosse, sans seulement qu'on ait fait le geste de l'inviter, une fois au moins pour marquer le coup ! Pour moi non plus, on ne marque plus le coup, pas droit à un geste ! Tous les deux, les dindons de la farce.

— Ne crie pas.

— Pourquoi ? Les gens te gênent ? Je suis pour la franchise et ce que je te dis là, tout le monde peut le savoir. Et maintenant, la coupe est pleine, elle déborde : j'en ai MA...RRE ! Personne ne peut dire que je ne suis pas un bon type, mais il y a des limites à tout, et ça ne peut pas continuer, ma petite. Tu te fourres le doigt dans l'œil, je vais me venger et la venger, elle, par la même occasion puisqu'elle n'en a pas la force. Au lieu de se replier sur elle-même, elle ferait mieux d'être un peu énergique et de dire à son mari : « Cela suffit ! » Non, il n'y a que moi qui l'ouvre... »

Il me serrait toujours le bras et m'a fourrée d'une secousse dans l'auto, vers laquelle il m'avait traînée, tout en entretenant les passants de ses infortunes.

« L'enfant de salaud ! T'influencer constamment ! Ça ne suffit pas qu'il se soit marié, il faut encore qu'il te tienne toujours sous sa coupe ! »

Au même instant, une Panhard lui a fait une queue de poisson. Il a poussé un hurlement de sauvage.

« Tu vois, tout le monde me prend pour une poire ! Celui-là va voir de quel bois je me chauffe ! »

Nous avons commencé une course insensée dans Paris.

Je m'étais installée de façon à ne pas voir le parebrise et je pensais : « Excellent moyen de mourir ; s'il pouvait lui arriver de se retourner, tant mieux ! »

Lui grommelait :

« Hein ! Il a peur, il a raison ! »

Il s'est engouffré sous le tunnel du pont de l'Alma et a coincé la Panhard, qui a freiné à mort.

« Il a bien fait de faire ce qu'il a fait, sinon, je le bousillais. Tant pis, on allait tous en taule s'il le fallait, mais je lui hachais la gueule. »

Deux voitures ont klaxonné :

« Passez, passez, mes petits amis, a-t-il dit gaiement. Montre aux types que tu ne les crains pas, que tu es plus fort qu'eux et ils se dégonflent. »

Dans l'appartement, il a pris le revolver et l'a posé à côté de lui, sur le lit.

« Tu vois, celui-là, il ne va pas nous manquer. Je vise juste, à un centimètre près. D'abord, je n'ai pas l'intention de te toucher, toi. Tu préférerais d'ailleurs, pourvu qu'on ne touche pas à ton Pilou — entre nous, quel sale nom ! — Pas si bête. Ce sera lui qui prendra trois pruneaux dans le ventre. Et via le Paradis ! Il l'aura bien mérité. Il est si bon, si démuni dans la vie ! Allez, allez, droit là-haut, et moi, je plaiderai le crime passionnel. Je m'en sortirai. Ça vaut dix ans **de taule**, le fait de le savoir sous terre. Mort, mort, ton irremplaçable Pilou. Hein ! Qu'en dis-tu ?

— Rien.

— C'est cela, rien. Tu espères qu'avec du calme, tu vas détourner l'orage. Avoue.

— J'avoue que cette situation est devenue impossible.

— Je ne te le fais pas dire, mais à qui la faute ? Pas la mienne, toujours. A force de tirer sur la corde, à la fin, elle se casse.

— Tu ferais mieux de tirer sur moi. Ça arrangerait tout. Tout est de ma faute.

— C'est ma faute, ma très grande faute, oui, dis-le, c'est cela. Pas la sienne, la tienne. S'il n'existait pas, tu ne dirais pas la même chose.

— Mais il existe, tu existes et j'existe. Alors ?

— Le bousiller. On tire bien sur des oiseaux qui ne

vous ont jamais rien fait. Je ne vois donc pas pourquoi je ne tirerais pas sur lui.

— Il serait peut-être heureux.

— C'est ça ! Jouons aux idées. Le suicide, ça fait
bien, c'est moderne, dans votre milieu. « S'est suici-
dé à la suite de ses idées profondes ; encore un
candidat au suicide. » Faites-le donc, au lieu de tant
en parler ! Qu'il se suicide ! Tu es encore capable de
jouer ton Yseult sur son cercueil ! Tas de comédiens !

— C'est maintenant, surtout, que nous jouons une
excellente comédie. »

Il a bondi, oubliant le revolver.

« Tu as vraiment le chic pour mettre les gens
hors d'eux-mêmes. De la comédie ! Voilà le mot de la
fin ! Toi, oui, tu joues la comédie ! D'ailleurs, pourquoi as-tu refusé une explication franche ? Figure-toi
que je l'ai demandée, moi. Et qu'est-ce que tu as fait,
toi ?

— J'ai reculé.

— Exactement. Tu es une lâche.

— Oui, je suis lâche.

— Parce que lui t'a rendue comme ça. Tu ne l'étais
pas autrefois.

— Oh ! si, malheureusement.

— Non, tu ne l'étais pas. Je t'ai bien connue et tu
n'avais pas peur de dire ce que tu pensais. Maintenant, tu hésites, tu vas chercher midi à quatorze
heures et quand on te pousse jusque dans tes derniers
retranchements, on rencontre le mur. Tu es muette,
mais tu penses : « Parle toujours, tu m'intéresses. »
Tu me détestes, mais si ! Dis-le une bonne fois. Si tu
voyais tes yeux ! Je crois que s'ils en avaient la possi-
bilité, ils me transformeraient en statue, une statue
qui vous regarderait vous embrasser. Le malheureux
Paul ne pourrait rien faire, ni rien dire. Solution
idéale, pas vrai ? Et on vient me parler de comédie !
Je joue la comédie parce que je souffre, qu'il me
pompe et que tu me prends pour un zéro en chiffre. »

Depuis quelques minutes, une pensée occupait tout mon esprit : « Voilà ce que c'est que d'avoir promis de ne pas le quitter. C'est la punition. » Comment ai-je fait pour prendre un balai avec la ferme intention de le casser sur cette tête bavarde ? J'en avais assez de ces discours, de mes pleurs, de mes remords, de mes traductions de plus en plus mauvaises. Il a paré le coup d'un geste sec en posant une main sûre sur le manche.

« Pas de ça. Il faut se lever avant midi pour m'avoir. Tu veux t'attaquer à quelqu'un qui a subi un entraînement intensif ! Tous les coups, je les connais, imbécile ! Tu es encore plus dégueulasse que je ne le pensais. Il vaut mieux que ce soit moi qui y passe. « Tant pis pour cet abruti. Il n'aura plus les moyens de toucher l'autre ! N'hésitons plus, faisons-lui éclater le crâne. » Je t'estimerais davantage si tu me disais : « Donne-moi ce revolver, que je te descende. » Eh bien, je vais te faire plaisir. Tiens, attrape ! »

Il m'a envoyé le revolver, que je lui ai aussitôt renvoyé. Il me l'a lancé à nouveau.

« Si, si, je tiens à ce que tu me vises. Sois tranquille, je ne me défendrai pas ; tu peux y aller. »

Il me l'a jeté encore une fois et m'a regardée droit dans les yeux :

« Tire, mais tire donc ! Pense à tous les avantages que tu en retireras. »

J'ai posé le revolver à côté d'une des lampes de la cheminée. « Plutôt la lampe, oui, mais c'est une lampe ancienne. Je ne retrouverais jamais la même.

— Tu n'as pas la force ?

— Non.

— Tant pis pour toi, c'est toi qui l'auras voulu. »

Il est parti en emportant le revolver.

« Avertir Jacques ? Il va me juger ridicule et ne viendra plus ici. Or, je veux le voir. Oui, mais s'il l'attend à la sortie de son travail ? Non, il n'ira pas, je le sais. »

Quand il est revenu, il était trois heures du matin. Je l'entendais nous traiter de salauds, de fumiers. Il empestait l'alcool. J'ai repensé à mon père et je me suis retournée, dégoûtée, contre le mur. Il a posé sa main sur ma hanche. Cinq minutes plus tard, il ronflait. Ses ronflements me donnaient envie de le tuer. « Un oreiller bien appliqué, et le voilà, lui, au Paradis ! Ce serait bien de le tuer sans qu'il me voie ! Oui, mais ce serait lâche ! Si seulement je pouvais parler aussi vite que lui, lui boucler le bec ! Mais ça aussi est interdit, interdit, interdit. Je dois être une fichue masochiste ! Il boit comme mon père, et je devrais le tuer. »

Il est parti, bien vivant, au matin, en m'ignorant.

Vers dix heures et demie, j'ai reçu la visite de Jacques.

« Tu es seule ?

— C'est drôle, tu as l'air d'un conspirateur.

— Non, ce n'est pas tout à fait cela, mais il est nécessaire que toi seule sois au courant.

— Tu peux venir. »

Il avait pris une mine de petit garçon fautif.

« Voilà, a-t-il commencé, tout ceci est assez ennuyeux. Tu connais la librairie au coin de chez toi ? Il y a là une fille qui n'est pas mal... et elle était malade. Oh ! rien de grave, mais plutôt ennuyeux. Il s'agirait d'une affaire de cinq mille francs.

— Ce n'est pas beaucoup, ai-je protesté. En veux-tu dix ?

— Non, non, s'est-il défendu ; je tiens à te les rembourser et il est souvent dur de rembourser. La situation à la maison n'est pas des plus brillantes et j'aime mieux ne pas m'endetter. »

J'ai pensé à Louis, parti pour New York, qui avait dû achever de faire fondre le peu d'argent de Mme Marceau. Mais j'ai dit simplement :

« C'est embêtant.

— Oui, c'est embêtant pour moi, bien sûr, mais aussi pour la pauvre fille qui risque de perdre sa clientèle. Les hommes ne pardonnent pas ces choses et elle a la tête à avoir plutôt une clientèle suivie qu'une clientèle de passage, ce qui est encore bien plus ennuyeux. Je viens donc de la voir et de l'avertir très exactement de ce qu'elle a : « Il vaut mieux, « madame, prendre vos précautions, c'est dans votre « intérêt que je parle. »

J'ai éclaté de rire.

« Ça t'amuse ? m'a-t-il dit, d'un air étonné.

— J'ai trop d'imagination. Je te vois, discourant gravement avec une fille qui ne devait jamais avoir vu une telle séance.

— Moi je trouve cela tellement normal. »

Il s'est obstiné.

« Il le fallait ! Sans doute l'ignorait-elle, première raison donc pour que je lui en parle et, second point, elles font aussi, comme nous, ce qu'elles peuvent. »

Son bras levé embrassait toute la relativité du monde.

« En plus de cela, comme il est de règle que toutes les choses ennuyeuses arrivent en même temps, Madeleine a trouvé un petit mot de Gabrielle et, comme il fallait s'y attendre, elle l'a très mal pris. Nous avons discuté toute la nuit et elle est d'avis que je m'éloigne pour réfléchir un peu.

— Décidément !

— Oui, je sais à quoi tu penses, nous parlons un peu trop de réfléchir.

— Pourquoi l'as-tu laissé traîner ?

— Parce que je suis chez moi. »

C'était dit d'un ton sec. Il n'y avait rien à répliquer. J'ai souri en pensant : « On a touché à mes papiers, qui est-ce qui a touché à mon bureau ? »

Il a cherché à se justifier :

« Mais oui, je maintiens ! Je ne demande que mon

bureau. Tout le reste... Mais alors, qu'on me foute la paix.

— Oui.

— Elle a très mal admis cette malheureuse histoire ; pourtant tu sais bien tout ce que Gabrielle a fait pour moi ; tu me diras que j'aurais pu l'épouser, mais enfin, c'est très difficile de laisser Madeleine avec un enfant, et Gabrielle n'en avait pas, alors, n'est-ce pas, j'ai encore fait ce qu'il y a de plus rationnel. Tout de même, je suis pour l'instant dans une position un peu difficile. Madeleine a certainement raison et le fait que je m'éloigne arrangera pas mal de choses. Tu ne crois pas, toi ?

— Oui, peut-être. Mais tu vas être surtout malheureux d'être éloigné de ton bureau.

— On se fait à tout. Mais ce que je crois plus difficile, c'est encore de trouver une chambre-cuisine. Un homme seul n'a pas de grands besoins, je peux manger des nouilles tous les jours.

— Tout de même !

— Si, j'aime mieux encore ça que de nouvelles difficultés. Tu sais, Madeleine a un caractère entier, il y a des choses qui n'entreront jamais dans sa psychologie, et moi, je ne peux faire autre chose que ce que je fais. Tu vois comme tout est difficile. »

Je me suis décidée brusquement :

« Viens ici.

— Non. D'abord, tu ne pourrais pas me loger, et puis...

— Bien sûr.

— Non, ce qu'il me faudrait, c'est une retraite, qui ne me déplairait pas, d'ailleurs, pour un tas de raisons trop longues à expliquer. Peut-être que, seul, après tout, il me serait possible de m'en sortir. Je me sens si peu à l'aise et il y a toujours cette difficulté d'écrire.

— Avec le talent que tu as !

— C'est bien plus complexe ; le talent ne suffit pas. Tu connais mes difficultés. Tout est lié ensemble. »

Je les connaissais bien, ces difficultés ; des soirs entiers, nous avions travaillé, lui courant à grands pas dans le bureau et moi prenant sous sa dictée. Très excité tout d'abord, il était peu à peu envahi par le doute. « C'est idiot, absurde, tout cela. Non, décidément, il n'y a rien à faire. » Je protestais vivement.

« Mais c'est très bien.

— Tu crois ?

— Oui. »

Le doute était cependant le plus fort. Il s'enfermait des journées entières et abandonnait les feuillets, qu'il classait au bout de quelque temps dans des chemises, au fond de la bibliothèque.

« Gardons toujours, bien que ce ne soit absolument pas le reflet de ma pensée. Il me semblait pourtant... Enfin ! En réalité, je crois savoir pourquoi je ne fais rien de bon : ça tient à des causes profondes et j'ai bien peur d'être obligé d'abandonner tout espoir d'écrire. »

J'ai répondu en souriant :

« Tu n'écris pas parce que tu es un grand homme. Veux-tu relire Monsieur Teste ?

— Oh ! c'est beaucoup plus complexe que cela. Mais, dis-moi, tu as emporté ce livre ? dit-il en désignant un bouquin sur l'étagère.

— Oui.

— Fais-y très attention et, surtout, ne le prête pas. Tu sais bien que les gens ne les rendent jamais et ce bouquin, j'y tiens. Alors, promis ?

— Oui.

— Enfin, pour en revenir à ce que nous disions tout à l'heure, si tu connais quelque chose de correct et de simple à la fois, dans un immeuble propre, fais-le-moi savoir. Moi-même je vais demander aux amis. Car il m'est toujours extrêmement pénible de supporter une atmosphère tendue. Vois donc de ton côté. Cet argent, je te le rendrai à la fin du mois. Pour l'instant, nous sommes à court et l'argent liquide a presque entièrement filé.

— Ne t'en fais donc pas.

— C'est très bien ce couloir noir, a-t-il dit en s'en allant.

— Tu aurais dû le voir lorsqu'il était rempli de journaux et de boîtes de conserves vides. J'ai pensé à une explosion ou à un cyclone.

— Ça devrait t'inspirer ; avec l'imagination que je te connais, tu pourrais faire quelque chose sur ce couloir. »

J'ai dit en riant :

« Oui, sur une jeune femme qui vit dans un couloir et qui n'en peut sortir.

— Le sujet est bon.

— Et moi, peu en mesure de travailler. »

J'ai pourtant repris mes traductions jusqu'au soir. J'étais en retard, je ne pouvais plus me fixer et il fallait bien que je m'en sorte avant l'arrivée de Paul, qui ne voulait pas que je continue dès qu'il arrivait :

« Encore ! Tu n'as pas fait les commissions ! On ne va jamais aller au cinéma ! On ne va jamais écouter une guitare ! On ne peut jamais faire comme tout le monde ! »

Ce soir-là, Paul a fouillé fébrilement dans le tiroir :

« Où est-ce que tu a mis l'enveloppe ? »

J'ai pensé un peu trop tard à ma gaffe. Prise au piège, j'ai décidé de ne pas mentir.

« J'ai prêté cette enveloppe à Jacques.

— Pour quoi faire ?

— Mais Jacques en avait besoin.

— Quoi ? Tu ne vas pas, tout de même, me dire qu'il est venu chercher cinq mille francs de mon argent ?

— Mais si.

— Je suis fou, ou quoi ? Ça tourne au grotesque ! Non, tu me fais marcher, il n'a pas eu ce culot, lui !

— C'est à moi qu'il les a empruntés.

— Mais pour quoi faire ?

— Il a eu un petit ennui avec une fille.

— Il les lui a donnés ?

— Mais non, c'est pour se faire soigner.

— Ah, ça, alors ! si je m'y attendais ! C'est la meilleure de la journée. Vivre à Paris vous amène de drôles de surprises. Tu te rappelles la première fois que j'y suis monté, on a cavalé pour en faire avorter une. Maintenant, il va pisser le sang. C'est... c'est... »

Il ne trouvait pas le mot exact, il a explosé brutalement :

« Il faut entraîner une fille à la boucherie parce que ton petit ami ne sait pas s'abstenir, qu'il s'en fout, puisqu'il n'en fait pas les frais et qu'il ne souffre pas, lui ! Puis, après, il faut le dépanner pour se soigner de ça ! Voilà ! Je connais maintenant ce que c'est que l'anormal. Mes amis d'autrefois, mes relations, tout était normal, et il a fallu que je me fiche dans les pattes d'une fille qui me fait entrer dans ce monde-là ; car vous êtes des anormaux, et pas un peu ! Des intoxiqués de la connerie. Tout vous paraît normal. « Et pourquoi pas ? » Bien sûr, pourquoi pas ? Montons un phalanstère de fous ; les sains d'esprit comme moi serviront les fous. Eh oui, pourquoi pas ? Tout le monde sera heureux. Ah ! la, la ! si seulement je pouvais me taire et ne pas user ma salive à vouloir t'expliquer ce que tu refuses de comprendre... Alors, pourquoi pas, en effet, je ne paierais pas pour ton petit ami ? C'est si simple, si logique. C'est moi le grand con, puisque je ne veux pas comprendre ça ! Et si j'en faisais autant ? Tu me vois aller lui emprunter cinq mille francs ? Quel air j'aurais, je te le demande un peu. Tu comprends, il y a quelque chose qui me dégoûte par-dessus tout, c'est qu'il ose s'adresser à une fille ! Je sens du laisser-aller, du cynisme, ça me porte sur les nerfs. »

Il est devenu rêveur :

« Parce que, en province... Et puis, merde ! pourquoi je ne me foutrais pas des fous ? Eh oui, pourquoi pas ? Alors, dans ce cas, pourquoi je n'irais pas au bistrot ?

— Vas-y !

— J'y vais !

— C'est parfait.

— Parfait. »

J'étais seule devant mes traductions ; les mots jouaient à cache-cache.

« Je m'abrutis au travail. Je m'y réfugie avec le sentiment de me punir. Tant mieux si je tombe malade ; au fond, six mois dans un hôpital, ça arrangerait tout. Je ne le verrais plus et pourrais me gargariser d'échec. J'ai tout gâché, tant pis pour moi. J'ai peur des gens, de lui ; je n'ose jamais parler franchement. Beau résultat : l'hôpital. » Cette idée m'a fait plaisir, j'ai pu travailler tout en me souvenant que Jacques m'avait dit un jour : « Trop de travail, mais ça durera ce que ça durera. Tant pis pour eux ! »

La concierge a frappé. C'était une lettre de ma mère.

« Juge toi-même, tu verras si je te mens », m'écrivait-elle en joignant une lettre de mon beau-frère :

« Chère Madame,

« Que c'est beau de faire de la morale et de placer « toujours sa conscience en avant ! Mais cela ne « convient pas à tout le monde et encore moins à « vous. On m'a toujours dit que les moralistes étaient « des gens qui avaient quelque chose à se reprocher. « C'est bien le cas pour vous.

« Dimanche dernier, j'ai vu votre fille aînée. Je ne

« vous félicite pas ; elle a une sale figure, on dirait
« de la viande à sana. Elle travaille douze heures par
« jour, tout ça pour payer vos conneries. Vous la
« remerciez bien de vous avoir mis à l'abri. Encore
« une fois, félicitations. Vous avez une conscience,
« alors ça arrange tout en ce qui vous concerne.
« Vous vous dites mère de famille, femme au grand
« cœur. Moi je vous dis qu'il est préférable de laisser
« les enfants où ils sont que de les mettre au monde
« afin de les exploiter. C'est du travail de maquerelle.

« J'ai vu pendant les vacances ce que vous dicte
« votre conscience. Faire voler du cuivre par un
« jeune homme chez un patron et le mettre dans
« son tablier pour filer à la baraque le cacher, eh
« bien, c'est beau pour une mère de famille ! Ça vous
« embête, hein, que j'aie des yeux ! Il est vrai que
« s'il y avait une histoire, vous êtes assez menteuse
« pour vous disculper. Vous me l'avez prouvé. Pour
« entretenir la queue de vache que vous avez dans
« la main, il faut beaucoup de combines et peu de
« travail.

« J'ai sorti votre vieux de taule une fois, avec ses
« cartes de corrida fausses, mais c'est la dernière
« fois ! En prison, il y a des rats et de la crasse ;
« celle-là, vous ne la connaissez que de trop. Vous y
« resterez, en taule, parole d'honneur !

« Ne me dites pas aussi que c'est la famille du
« vieux qui me bourre le crâne, ni vos voisins ! Le
« travail ne vous tuant pas, vous avez le temps de
« jouer au détective.

« Pauvre créature, examinez plutôt vos actes. Vous
« croyiez peut-être que le coup du fer à repasser, vous
« alliez l'emporter en paradis (en enfer plutôt) : me
« le prendre pour le donner à votre troisième rejeton,
« qui ne vaut rien ! Retenez bien ceci : c'est la seule
« dot de ma femme, un fer à repasser, et encore,
« parce que vous en aviez deux !

« Oh ! pauvre créature, je peux le répéter, je vous

« assure, vous n'êtes pas un élément assez intéres-
« sant pour que j'en discute avec tout le monde !
« Quand je suis au pays, j'ai déjà assez honte de cette
« famille, ça me suffit. La deuxième fois que je vous
« ai vue, je savais ce que j'avais à faire.

« Quant à notre fille, ne vous en occupez pas. Le
« plus malheureux pour elle, c'est qu'il lui coule de votre
« sang dans les veines. Un moment, j'ai cru que vous
« étiez une espèce de folle et je vous excusais. Main-
« tenant, je sais que vous êtes une vicieuse. Vous
« racontez bien ce que font les autres, mais pas ce
« que vous faites. Et Dieu sait si vous en faites, jus-
« qu'à faire perdre de l'argent à votre fille (je ne dis
« pas escroquer, mais je le pense). C'est criminel.

« Quant à Paul, ne lui jetez pas trop la pierre.
« Heureusement qu'il est là pour soutenir votre fille
« qui paie vos vacheries. Vous construisez des murs ;
« pourquoi pas plus tôt ? Il y a longtemps que la
« baraque était en mauvais état. *Vous savez bien*
« *pourquoi ;* vous êtes aussi sale moralement que
« physiquement.

« Je termine. Ne croyez pas que je prends tout ça
« à cœur, c'est fini maintenant.

« Anatole.

« *P. S.* — Quant au jambon, je suis dégoûté, je me
tais. »

Je suis restée rêveuse après cette lecture : « Belle
pièce. » Paul a réagi différemment :

« En tout cas, lui me défend. C'est le seul à me
défendre dans cette ville ; pour les autres, je ne suis
qu'un zéro. Moi, mon opinion, c'est que c'est un
brave type et qu'il a raison de cracher ce qu'il a dans
le ventre ! On souffre moins quand ça peut sortir. »

J'ai approuvé et il a paru tout surpris.

« Ça alors ! Si c'était l'autre, ce serait normal,
mais que tu sois d'accord avec moi, c'est un comble !

Enfin, peut-être que le sort arrive à m'être favorable. Ce ne serait pas trop tôt. »

J'ai voulu profiter de ces heureuses dispositions pour aller chez ma sœur le soir même. Anatole paraissait également assez bien disposé :

« J'ai reçu une lettre de ton vieux, l'autre jour, ce qui m'a permis de ne pas manquer ta mère. Tu sais ce qu'il me disait, ton vieux ? Qu'elle transportait des blocs parce que Paul, ici présent, allait te faire vendre la maison. Alors, là, on s'est dépêché. Les deux sont d'accord car la faim fait sortir le loup du bois. Après dix ans de fainéantise, ils ont peur et, les cons, ils construisent un garage sur un terrain qui t'appartient ! C'est une idée de la vieille, ça, parce qu'elle a comme ça des traits de génie ! »

J'ai essayé de faire diversion :

« Je croyais pourtant que papa voulait partir à l'Armée du Salut ! »

Il a ricané :

« Apprendre à jouer de la trompette! Comédie, quoi! Ce sont des comédiens. Avec vous, ça prend, mais pas avec moi ! Elle le sait bien, la vieille, qui me traite de persécuté, mais je lui ai cloué le bec : « Comme « ce n'est pas d'aller à l'école qui vous a tuée, ce « mot-là, on vous l'a soufflé. » Elle me regardait de ses yeux de vache, je ne vous dis que ça ! Jolies vacances ! parlez-m'en. Je n'ai pas d'élocution mais je sais me défendre. M'accuser de boire ! J'allais faire crever sa fille ! Sans moi, elle serait le souillon que j'ai rencontré. »

Ma sœur s'est mise à laver quelques verres.

« Parce qu'on ne peut pas dire qu'elle était reluisante lorsque je l'ai rencontrée. Il a fallu nettoyer la crasse, voilà l'éducation de la vieille ! Et après, ça joue du persécuté plein la bouche ! Vicieuse, va ! »

Il a pris l'air sérieux :

« Ils te possèdent, car finalement le vieux ne vaut pas plus cher. Tu vois s'ils sont d'accord pour sauver leur peau ! Faire des murs, impensable de ces deux fainéants ! Se la couler dix ans aux frais de la princesse, c'est bien une façon de dire, car tu es bien comme nous à les compter, tes sous. Mais ils te chieraient sur la gueule que tu leur dirais encore merci. C'est fou ce que tu es Ducon, ma pauvre fille. »

Paul a voulu placer son mot :

« Ce que je vois de clair dans l'histoire, c'est que, des murs, c'est très bien, mais la charpente ? Ils ne vont pas faire, seuls, une charpente ?

— T'en fais donc pas, a ironisé Anatole, elle est là, l'andouille. Ils savent qu'elle paiera parce que tu ne vas pas tout de même penser qu'ils vont construire sans toit ? non, mais des fois ! Lui prendre le terrain et lui faire payer les tuiles, ce n'est pas ça qui les gênera. Toi, tu as le sens de l'honnêteté mais eux, ça ne les étouffe pas. »

Paul avait l'air soucieux en regagnant la voiture.

« Ce n'est pas tout, mais qu'allons-nous faire ? J'en ai marre de me promener sans pantalons et avec des souliers en réclame. Dans mon métier, on doit représenter. Je n'ai même plus une poche intacte et je perds mon fric.

— Ce n'est pas le moment !

— Ne rigole pas, non, ce n'est pas le moment ! On ne peut pas continuer à vivre en étant une œuvre de charité. Si encore on avait les moyens ! La misère va jusqu'à ma cravate ; elle s'effiloche au nœud. Je ne suis pas vache, je veux bien aider, mais il ne faut pas exagérer.

— Pourquoi te préoccuper, puisque j'ai mes traductions ?

— Et moi, a-t-il riposté, j'ai mon concours de mousseux. Il faut que j'arrive premier à ce concours ; trente mille francs, ce n'est pas à dédaigner. J'aurai toujours une veste, puisque le printemps arrive. Tu as le chic de me flanquer à la figure que tu gagnes plus que moi. Ne t'en fais pas, j'essaierai de ne pas t'être à charge. J'ai encore ma mère pour me sortir d'embarras, et la maison. Mieux vaut encore la bouffer que la laisser à mon frère qui n'a jamais rien fait pour moi. D'ailleurs, par prudence, je vais te faire un papier.

— Toi aussi ?

— Parce qu'un autre te l'a proposé ?

— Non, il l'a fait.

— Ça, c'est encore un coup de Marceau ; toujours sur mon chemin. Il ne peut pas laisser aux autres une innovation. Alors tu ne le veux pas, ce papier ?

— Mais si.

— Et pourrait-on savoir ce qu'il t'a laissé ?

— Sa bibliothèque et ses tableaux.

— Peuh ! Je t'en laisserai un peu plus. Je peux le battre, ma maison vaut au moins cinq ou six millions.

— Tu as l'air d'un petit garçon : « Moi, je te battrai, hé ! je suis plus fort que toi ! »

— Non, parce que venant de ton Pilou, tout dépasse les trésors que je pourrais te donner. Tiens ! il t'offrirait une cacahuète, et moi un château, tu foutrais la cacahuète dans du coton et tu laisserais pourrir mon château. Voilà comment tu es ! »

J'ai pris un air excédé.

« Tu n'aimes pas, hé ! qu'on te dise tes vérités ; eh bien, moi, je te les dis en face. »

Nous étions arrivés. Il a garé la voiture.

« Monte, je vais chercher des cigarettes.

— Au bistrot ? »

Il s'est rebiffé.

« Bien sûr, au bistrot. Je vais tâcher de leur placer un peu de mousseux. Il faut bien le gagner, ce concours, pour payer les putains, les garages, les murs, les charpentes et tout le bataclan.

— Ne fais pas de bruit.

— Mais, dis donc, je la paie la location de la cour !

Qu'on vienne me dire quelque chose, qu'on vienne se frotter à moi, j'en descends un.

— Ce n'est pas une raison pour crier.

— M'en fous, tu entends. D'ailleurs, la concierge en pense de belles. Elle me sait cocu. « Qui est ce monsieur si poli qui monte chez vous ? » Voilà où on en est, à recevoir des camouflets, de ce putain de Marceau, bien entendu. Parce que, figure-toi qu'elle n'est pas idiote, la concierge. Elle a bien repéré ses allées et venues. Car, qui me dit qu'il ne vient pas dès que j'ai le dos tourné ? Ce n'est pas toi qui vas le vendre. On vient soi-disant feuilleter quelques conneries chez le libraire d'en bas et, vlan, un saut dans l'escalier. Avoue, mais avoue donc si tu n'es pas lâche !

— Je le suis.

— On aurait pu être heureux.

— Oui, on aurait pu.

— Pourquoi dire ce que tu ne penses pas ? Tant que cet individu existera, il sera entre nous. Dans ce cas, pourquoi user sa salive, il vaudrait mieux...

— Se séparer.

— Trop facile ; je t'ai déjà dit non, c'est non. Tu juges peut-être que je m'incruste, mais il y a long-temps que j'ai abandonné toute dignité. Lavette pour lavette, je reste. C'est dit. Je traînerai mes godasses en réclame et je frotterai ton couloir. C'est mon lot, c'est comme ça. Je reste jusqu'à ce que je crève. Et puis, merde, assez parlé. Je vais essayer de placer cinq caisses de mousseux. Je pourrai te prêter la commission pour payer le jambon d'Anatole. »

Il s'est éloigné à grands pas. La cour était mouillée et noire. Je ne trouvais pas la minuterie ; la porte de la cave a grincé. J'ai repensé à ce clochard que j'avais enjambé, une nuit d'hiver, dans l'immeuble de Jacques. Supposons que quelqu'un se soit caché et m'attende pour me tuer. Cette idée m'a fait monter l'escalier quatre à quatre, sans oser tourner la tête.

J'entendais un souffle. Il allait me tuer, me planter un couteau dans le dos. J'ai mis le verrou, allumé dans la cuisine, le couloir, la chambre et le réduit. J'ai regardé sous le lit pour voir si un serpent n'était pas caché dessous. C'était l'époque où un boa s'était échappé dans un égout de Paris et ce fait divers dans les journaux m'avais bouleversée. Je n'ai entendu l'arrivée de Paul que lorsque la porte eut reçu un formidable coup.

« Qui est là ?

— Qui est là, qui est là ? m'a-t-il singée. Qui veux-tu que ce soit ? »

J'ai ouvert la porte. Il écumait :

« Tu voulais que je couche dehors ? Tu veux me punir, tu essaies de me faire sentir que je ne suis pas chez moi.

— Ce n'est pas cela.

— Mais si, c'est cela. Pourquoi t'en cacher ? La location est à ton nom, tu paies ton loyer ; il est normal qu'on me mette le verrou. Tu m'auras fait sentir, même la nuit, que je suis un indésirable. Quand je pense que tout le monde entre ici comme dans un moulin !

— Mais c'est le jour ! »

Il n'a pas compris.

« Figure-toi que chez les autres, on sonne.

— Il n'y a pas de sonnette.

— Cesse de couper les cheveux en quatre ! Alors, on frappe. Un beau jour, on va nous trouver à poil. »

Et en voyant mon air calme, il a ajouté :

« Oh ! je le sais bien, ce n'est pas la pudeur qui te gêne, mais moi, j'en ai une, figure-toi, de pudeur. »

Il me fixait :

« Ne me dis pas que c'est à cause de ma maigreur. C'est faux. Ma maigreur vaut bien la rondeur de Marceau ; moi, c'est bien simple, j'aurais horreur d'être aussi gros que lui. Les secs comme moi ne

sont jamais malades, heureusement, d'ailleurs, car
pour les soins...

— Je ferais ce que je pourrais.

— C'est ça, cause toujours, dis que tu m'apporteras
le verre d'eau, sans même penser au cachet, comme
pour ma dernière crise. Mais si jamais ça allait mal,
j'irais à l'hôpital ; ce n'est pas pour les chiens, l'hôpital, et tu aurais la paix pour faire tes petits trafics.
Dis-moi, une seule fois, sincèrement, que tu bénirais
une bonne maladie pour m'expédier à l'hôpital.

— Non, je penserais plutôt à l'hôpital pour moi-
même.

— Toi ? Mais tu es solide comme un roc. Que veux-
tu qu'il t'arrive ? Vois ta carcasse. »

Il s'est déshabillé après avoir tout éteint.

— Comme ça, au moins, je ne t'oblige pas à me
voir nu. »

TROISIEME PARTIE

Pendant un an, nous avons connu la même vie, passant nos instants de liberté à nous reprocher ce que nous étions. J'avais mauvaise mine et souvent je ne pouvais manger. Mon cœur se soulevait ; j'avais des cauchemars. Une nuit, un chat me lacérait la poitrine, je râlais, j'essayais de me dégager, mais le chat était le plus fort. Je me réveillais, trempée de sueur. Une autre nuit, quelqu'un, dans l'ombre, s'approchait et tentait de m'étrangler.

Mes cris ont réveillé Paul, qui s'est retourné en grommelant :

« Ah ! il faut même supporter ça la nuit. »

Une autre nuit, il ronflait. Son dos maigre, éclairé par le lampadaire de la rue, me faisait horreur. Je l'ai bombardé de coups de poing.

Il s'est réveillé en sursaut et m'a saisi les mains :

« Non, mais tu es folle ! Tu m'as fait mal.

— Je dormais, je faisais un cauchemar.

— Ne raconte pas à Lartigue ces histoires-là. En réalité, tu ne dormais pas, tu étais mauvaise parce que je dormais. Je sais ce que tu as pensé, je vais te le dire : « Il dort, l'andouille, je vais lui faire « passer une nuit blanche. » J'ai du palud, je suis délicat, je dois travailler comme un nègre et je n'ai plus le droit de dormir parce que Madame ne dort pas. Putain de vie, éloigne-toi, ou je te massacre ! Méfie-toi de Lartigue, tu veux jouer avec lui mais, je te le répète, méfie-toi, il est dangereux, Lartigue, et toujours au moment où on y pense le moins. »

Il a pris un air menaçant :

« Si tu recommences ! »

Il s'est retourné avec un grand saut de carpe. Cinq minutes après, il ronflait.

Le lendemain, excédée, j'ai pris ma valise et j'ai rejoint Eve dans sa villa de Bretagne. Je considérais que tout était fini. J'avais laissé un petit mot sur la commode : « Fais du mieux que tu pourras. »

« Ton Paul, m'a dit Eve, il faut le tromper. Ça calmera tes nerfs. »

Je l'ai donc trompé avec un garçon très gentil, mais peu fait pour moi. Il n'avait soin que de sa voiture et disait qu'il serait heureux s'il pouvait la mettre sous son oreiller.

Eve écrivait à Paul des lettres provocantes. « Les autos, les cocus, les pas cocus, les lesbiennes dont nous sommes, les maquereaux pour qui nous sommes, les forcenés que nous attendons, les beignes qui nous attendent, les whiskies sans gogos et les gogos à whiskies, les Juifs malins, les aryens maladifs, les charcutiers adonis, les hercules qui déambulent, ta Pilette qui fait le trottoir et dit toujours : « Write to the poor Paul, on aura la paix. »

Lui répondait gentiment, s'inquiétant de ma santé, et me recommandait de profiter du bon air.

« De l'air, de l'air », plaisantait Eve.

Je lui ai écrit que je l'avais trompé, me rappelant qu'il avait déclaré : « Jamais je ne resterai avec une fille si je me sais cocu. » J'espérais. Huit jours ont passé, avec mon amoureux, qui répétait de plus en plus que sa voiture était son seul amour.

J'ai enfin reçu une lettre me disant que ce n'était pas possible, qu'il me pardonnait.

J'étais anéantie. Dans la voiture, en retournant à Paris, je me tenais un raisonnement ferme : « Je ne dois pas céder. Mon Dieu, soutenez-moi. » Implorer

Dieu me semblait saugrenu et je mesurais mon imbécillité.

J'ai fait une embardée sur un tas de pierres. L'essence coulait à flots du réservoir. « Et si l'essence avait pris feu, le malentendu aurait pris fin. Pourquoi donc faut-il que je vive ? »

Je l'ai trouvé sur le lit, fumant une cigarette, le visage plus émacié que jamais. Il s'est levé sur un coude. Il m'a regardée comme on regarde une apparition, puis ses yeux se sont emplis de tendresse :

« C'est toi, c'est bien toi ! Mais pourquoi ne pas m'avoir averti que tu arrivais ce soir ? J'aurais monté une bouteille de la cave. »

J'ai refusé l'attendrissement :

« Parce que je considérais que c'était fini entre nous. »

Il a bondi sur ses pieds, m'a prise dans ses bras :

« Je te retrouve, je ne peux pas croire que tu es là. » Les larmes coulaient sur ses joues maigres. Je me maudissais.

« Deux mois seul, sans toi, c'était un véritable calvaire. N'importe quoi, mais pas ça. Je te promets qu'on ne se disputera jamais plus et que je te rendrai heureuse.

— Oui, oui.

— Tu verras, je te ferai la cuisine, les commissions. Marceau pourra venir quand il voudra. Tu sais, je ne râle vraiment que quand j'aime les gens. Je t'aime tant, mon Pilou, si tu savais ! Tu es là, là, et je peux te toucher, c'est merveilleux. »

Il refrénait ses sanglots.

Je ne me sentais capable que de dire oui à tout. Toute ma soi-disant fermeté s'était envolée. Trois cents kilomètres en se bardant de sécheresse, en prenant des résolutions inébranlables, tout cela pour lâcher en un quart d'heure.

Il s'est écarté de moi en tenant toujours mon bras :

« Je vais chercher le champagne ; il faut fêter cela.

— Mais non.

— Si, si, et puis, tu sais, j'ai gagné le concours. Je peux t'acheter quelque chose. Dis oui, ça me fera plaisir.

— Pense surtout à une veste, c'est le principal.

— Moi ! tu crois que je pense à moi quand je t'aime comme ça ! Tu auras une belle surprise, je serai plus heureux qu'un roi ! En attendant, je descends à la cave. »

Il est revenu en sifflotant et n'a pas cessé de me regarder attentivement. J'étais gênée par ses yeux si pleins d'amour. « Je ne peux pas lui faire ça ; c'est impossible. Tant pis pour moi...

J'ai donc plaisanté :

— On dirait que tu découvres une nouvelle fille.

— Non, je ne veux pas d'une nouvelle fille, je te veux, toi, telle que tu es. Tu es gentille ; il ne faut pas écouter trop ce que je dis. Je suis vif et nerveux, comme mon père, mais tu sais bien que je ne suis pas méchant. »

Il m'a embrassé les mains, puis a pris une mine soucieuse :

« Que tu m'aies trompé est impensable. Tu es beaucoup trop intelligente pour de pareilles mesquineries. Etait-il gentil, au moins ?

— Oui, mais quelle importance ! On veut se venger et on n'en retire aucune satisfaction. C'est bien difficile !

— J'ai eu tant de peine ! J'ai imaginé que je ne te verrais jamais plus et j'ai pensé à me tuer. Mais il y a le fichu espoir qui vous fait encore croire que ça s'arrangera. J'ai eu raison, puisque tu es là. Si je savais que je vais te perdre, je me tuerais. Je n'ai que toi au monde. Même la pensée de ma mère ne m'arrêterait pas.

— Ne dis donc pas de sottises.

— C'est sérieux, très sérieux. De plus, j'ai des difficultés à la boîte ; la totalité des actions est rachetée par une maison concurrente. Je crains le renvoi.

— Bah !

— Si, je suis le dernier arrivé et je ne vis plus qu'avec cette hantise. Il ne manquerait plus que cela. »

Huit jours après, il me montra la lettre recommandée.

« Cette fois-ci, ça y est. Me voilà dans le bain. Il n'y a que moi qui manque de pot à ce point ! Quand je pense que j'ai laissé l'autre maison où j'étais si bien ! Ma vie a toujours était ainsi faite, des tuiles, des tuiles, des tuiles sans arrêt, depuis que j'ai quitté l'armée.

— Tu aurais dû y rester.

— J'en avais marre et j'avais l'impression que j'y laisserais ma peau. Et puis, ça vous écœure. Toute la guerre, trente-cinq missions de guerre, la D.C.A., les taxis en feu, les copains tués. Tout ça pour revenir voir des commerçants enrichis qui ont l'air de vous considérer comme un ballot. Ils n'ont pas le courage de vous lancer en pleine face que vous êtes un pauvre paumé mais ils le pensent. Défendre encore ces gens-là, partir en Indochine, puis en Algérie et ça n'en finirait pas jusqu'au moment où on se trouve les tripes au soleil. Merci bien !

— Je ne disais cela que parce que j'ai l'impression que l'armée était pour toi une petite maison où tu étais finalement à l'abri, sans grande responsabilité.

— Parle pour toi. Tu restes toute la journée enfermée, tu travailles même le soir et tu ne veux même pas sortir ! C'est toi qui es dans une petite maison. »

Je n'ai pas insisté. Le lendemain, je l'ai vu filer pour se présenter à un nouvel emploi.

Eve m'a téléphoné.

« J'ai vu Paul, qui a cherché à me tirer les vers du nez. Il plaidait le faux pour savoir le vrai. Pourtant, quand je lui ai affirmé que tu l'avais bel et bien trompé, il a paru incrédule. « Tout ça, c'est de la « comédie, m'a-t-il dit, vous me montez un bateau. » Incroyable, mais vrai ! Là-dessus, j'ai entendu une

sérénade sur Jacques : « qu'il ne l'estimait pas, qu'il
« t'influençait fâcheusement et que tu n'avais cette
« conduite que parce que Jacques te la dictait ; qu'il
« était incroyable que tu te laisses mener comme une
« petite fille et encore plus incroyable qu'intelligente
« comme tu l'es, tu te refuses à une vie normale. »

— Que disais-tu ?

— Moi ? rien. Je ne pouvais placer un mot. Quand
j'ouvrais la bouche, il me disait : « Tais-toi, je sais
« que tu vas les défendre, leur trouver des excuses.
« Si c'est pour dire ça, tu peux te taire. » Je me suis
donc tue jusqu'à ce que l'avalanche soit terminée. »

Eve a raccroché. Je suis restée soucieuse, puis j'ai
repris mes traductions. Mon beau-frère m'a arrachée
de mon travail. Il a promené son regard tout autour
de la pièce : « Il n'est pas là ?

— Non.

— Ah ! bon. »

Il paraissait soulagé mais son visage reflétait le
plus profond désenchantement. Il s'est assis lourdement sur le lit ct m'a regardée.

J'ai voulu l'aider :

« Tu as quelque chose à me confier ?

— Oh ! ce n'est pas au sujet de ta mère. Je la
laisse où elle est. Qu'elle plante ses dahlias au milieu
du persil, je m'en contrefous ! Remarque qu'elle pourrait mettre de petites séparations de briques, comme
on fait chez moi, mais elle est trop fainéante —
comme le vieux, d'ailleurs. Tu vois, je me suis toujours demandé comment il avait eu le courage de
planter son fameux camélia qui, tu le penses bien,
s'est révélé être un simple laurier, bien entendu. La
gueule, ça ne manque pas, chez toi. »

Il a pris sa tête dans ses mains et fait un grand
effort :

« Je me suis aperçu que ta sœur ressemblait à ta
mère. Ça, c'est le bouquet ! Je traîne après moi un
poids mort. Figure-toi que je lui ai apporté des

papiers, de quoi se présenter à un examen, sortir
enfin de la merde, quoi, dans laquelle on croupit ! Eh
bien, écoute, ça vaut la peine, les papiers sont sur le
frigidaire depuis quatre jours. Ils y sont encore à
l'heure où je te parle. Comment veux-tu qu'on s'en
sorte ? Elle pourrait contribuer au bien-être du
ménage, elle sait bien qu'on a l'appartement sur le
dos, elle s'en fout. C'est sur moi que tout repose.
De même pour la gosse, si ma mère ne l'habillait
pas, elle irait toute nue. Tu crois qu'elle a l'idée
d'acheter un petit quelque chose pour sa gamine ?
Penses-tu ! Elle l'envoie jouer, dans la boue, avec des
souliers vernis ! Tu sais, je n'ai pas pu me retenir,
je lui ai envoyé une beigne, à ta sœur. Heureusement
qu'elle n'a rien dit, sinon je cognais. Des souliers à
quatre mille balles ! Ce qui me crève, c'est son manque d'idées. Elle a l'air d'une vache, exactement
comme sa mère. Et pour le bagout ! Que quelqu'un
vienne à la maison, elle la ramène : « Il me faut une
« machine à laver ; vous savez, nous ne resterons pas
« avec un lino dans la chambre, nous allons comman-
« der du plancher. »

— Ne parle plus de plancher », ai-je plaisanté.

Il est resté insensible :

« J'en ai marre et marre ! Un jour, je vais partir
et on verra, alors, si elle l'ouvrira autant. Il fallait
que dans la famille j'hérite de la seule fille qui ressemble à la mère ! Encore, toi, tu te débrouilles,
mais elle, dans sa crasse, travailler comme une abru-
tie pour un salaire de famine et ne pas chercher à
en sortir ! Ce sont ces choses-là qui me crèvent le
cœur.

— Dans ce cas, oblige-la à préparer ce concours.

— Moi, jamais plus ! Les papiers peuvent pourrir
sur le frigidaire, je n'en parlerai pas. Une autre
aurait pris un crayon, essayé de faire une dictée. Pas
de quoi fouetter un bœuf, si tu veux, mais c'est trop
fort ! »

Il paraissait de plus en plus désolé. J'étais de plus en plus muette.

« Car tu ignores que ta sœur confond encore un imparfait, enfin, je veux dire l'accord avec un participe passé. Elle te fout partout des « é » accent aigu sans même avoir songé à poser la question avec le verbe. Merde ! elle est tout de même allée à l'école !

— Tu ne l'aimes pas.

— Non, je ne l'ai jamais aimée. Je l'ai épousée par pitié. Je voulais l'arracher à l'atmosphère de ton autre sœur. Lui faire vendre *l'Huma* à cinq heures du matin ! On la prenait pour une innocente. Ça me fait mal quand on n'a pas de considération pour les faibles. Rien que pour ça, je l'aurais épousée, pour l'enlever à ces idées qui ont de quoi tuer une vie ! Tu crois qu'elle m'en est reconnaissante ? Elle m'a dit oui devant le maire comme elle disait oui pour vendre les journaux. Ça ne va pas plus loin que ça ! C'est le manque d'idées, quoi !

— Tu veux que je lui parle de ce concours ?

— Puisque je te dis que rien n'y fait. C'est un tempérament à ne rien foutre. Toi, moi, Tartempion, c'est du pareil au même. Je ne bouge pas parce qu'il y a la gamine. Bon, c'est une affaire entendue qu'elle manque d'idées, mais alors qu'elle n'ouvre pas sa grande gueule devant des étrangers. C'est ça que je ne lui pardonne pas ; elle parle, elle parle, comme si elle disposait d'une dot et on peut encore le dire, à part le fer à repasser, que ta mère a récupéré d'ailleurs, je l'ai prise avec la seule chemise qu'elle avait sur le dos. Elle sait tout faire, il faut planter un clou où elle veut, parce qu'à cet endroit-là, il y a plus d'épaisseur. Manque de pot, on tombe sur la cloison. Il faut qu'elle la ramène, c'est un besoin chez elle. Je préfère me taire. Elle me crève. »

L'obscurité gagnait la pièce. Les tableaux de Jacques baignaient dans l'ombre, projetant quelques lueurs bleues. Je restais silencieuse.

« Enfin, toi et moi, on est dans le même bain, parce qu'on ne peut pas dire que tu les choisis bien, tes types ! C'est pas un mec pour toi, ce Lartigue. Il est bien brave, mais ça ne suffit pas. En quittant Marceau, il faut bien le dire, tu as manqué ton coup. Vous deux, tiens, c'est bien simple, vous êtes le jour et la nuit. Toi, tu es pour les idées, et lui, il veut du bal. Tu as remarqué, l'autre jour, quand je lui ai demandé de refaire le plafond de ta pièce, il s'en est foutu. Pourtant, on ne peut pas dire qu'il est correct, ton plafond. Je comprends qu'on n'aime pas bricoler mais tout de même, quand c'est pour soi ! Ma pauvre fille, va, on est de la revue ! Au fond, on aurait dû se marier tous les deux. »

L'arrivée de Paul a déterminé un flot de lumière.

« Qu'est-ce que vous foutez ? »

Anatole a eu un geste évasif :

« Rien, on parlait. »

Sa confiance en Anatole était complète. D'ailleurs il paraissait las et ennuyé. J'ai remarqué alors que le bas de ses pantalons était effrangé au-dessus des talons.

« Quoi de neuf ? a demandé Anatole.

— Rien, je suis sans travail.

— C'est une catastrophe, à ton âge.

— Je ne suis pas si vieux que ça, s'est rebiffé Paul.

— Vieux, pour ce métier, si ! Maintenant, ils veulent des gars de vingt ans pour faire de la prospection à l'américaine. C'est ce que m'a expliqué le frère d'un collègue, bien placé dans les savons. Il se fait au moins du deux cent mille francs par mois, mais il se cramponne dur car il paraît que vous êtes légion à Paris. Ce qui ne veut pas dire d'ailleurs que tu ne trouveras pas, mais ne sois pas trop gourmand.

— J'ai mon idée, a laissé tomber Paul.

— Oh ! mon vieux, il y en a pour tous. Je suis fonctionnaire et bien content de l'être. Avec les temps qui courent, cette vie qui augmente, on n'est à l'abri de rien. Il faut que quelque chose claque, ça ne peut pas durer.

— Oui », a dit seulement Paul.

Quand nous sommes restés seuls :

« Celui-là pourrait bien se dispenser de parler avec autant de chic ! Les gens sont des égoïstes et des salauds ! C'est le moment, hé ! de me lancer de la prospection américaine à la figure ! Comme si c'était possible dans ce pays d'avares et de méfiants. »

(Il reprenait là les propres paroles de Jacques.)

« En tout cas, moi, je ne trouve rien, ce qui d'ailleurs ne me surprend pas. J'étais trop bien, ça ne pouvait durer. Il faut que je tombe plus bas que tout le monde. C'est mon lot. Aux autres, tout leur sourit, à moi rien. Il y a des gens, comme ça, marqués par la guigne, la vraie poisse.

— Allons, ne t'en fais pas, tu trouveras.

— Si tu crois que c'est marrant d'aller se présenter devant ces gens qui se fichent de toi et ne pensent même pas que tu as besoin de croûter le soir même. Sale engeance, les gens, tu verras, je ne trouverai rien. »

Il se consolait au petit bar, en bas de l'immeuble. Un soir, vers dix heures, il est entré, les yeux brillants, et s'est trouvé devant un grand garçon auprès duquel il paraissait plus anémié que jamais.

« Un ami, à qui maman a donné mon adresse. »

Il l'a regardé soupçonneusement mais l'accent de ce dernier l'a rassuré. Il était bien du Midi.

Il ne se doutait cependant pas que, quelques minutes auparavant, Gilbert m'avait proposé, après m'avoir questionnée : « Pars avec moi, il m'est facile d'avoir une situation au Brésil. Puisque tu n'es pas heureuse ! J'ai toujours voulu me marier avec toi mais tu ne voulais pas. Maintenant, un peu de courage, partons ! »

Comment la conversation a-t-elle dérivé sur l'argent, je ne m'en souviens pas, mais Gilbert m'a mise en boîte :

« Il paraît qu'elle travaille maintenant, mais autrefois elle ne pensait qu'à paresser et à dépenser de l'argent ! Je me suis engagé lorsque nous avions tout
dépensé.

— C'est pour cette raison? ai-je demandé, stupéfaite.

— Mais oui, petite tête. Je te voyais comme un
objet de luxe peu fait pour ma pomme. J'ai préféré
m'éloigner. »

Paul me regardait, l'air railleur :

« En voilà un qui sait te dire les choses en face.
Vous m'êtes sympathique. Buvons un coup. »

Il a vidé presque à lui seul la bouteille de vin. Il
s'adressait à Gilbert d'un ton très amical :

« Oui, elle est comme cela. De l'argent, de l'argent.
Elle vous regarde comme un être inférieur si vous
ne savez pas en gagner. Oh ! ce n'est pas qu'elle vous
en parle, c'est pire que cela. Vous avez bien fait de
vous engager. Ne regrettez rien ! Parce que j'en
endure ! Elle a un ami. Quand il vient, elle sait parler. Il tourne le dos, elle ne parle plus. Elle me croit
incapable de comprendre certaines choses. Mais j'ai
de l'intuition, bien plus qu'elle, et elle ne l'emportera
pas en paradis.

— Allons, allons, a dit Gilbert qui sentait l'orage
venir.

— C'est la vérité, s'est obstiné Paul. Demandez-lui
si je ne dis pas la vérité. Elle mange en cinq minutes
et va frotter la pièce. Ou alors elle se met à des traductions. Un jour, je les foutrai au feu. Je lui pose
quelquefois cinq fois la même question. Elle rêve,
s'évade de ce milieu peu fait pour ses chères analy-
ses. Si vous prétendez qu'un acte est con, elle ne veut
pas comprendre : « C'est plus complexe que cela. »
Voilà où nous en sommes, mon vieux.

— Allons, allons », a répété Gilbert.

En gesticulant trop fort, Paul a glissé du pouf sur lequel il était assis et s'est retrouvé par terre. J'ai eu envie
de rire mais j'ai pris un air triste. Il s'est relevé, furieux:

« Vous habitez loin d'ici ?

— A Noisy-le-Sec.

— Je vais vous accompagner d'un coup de bagnole.

— Ce n'est pas la peine, a dit Gilbert, qui se voyait dans quelque fossé.

— Si, si, mon vieux, avec des gens chics, je suis chic, et ça me rafraîchira les idées. »

Ils se sont engagés dans le couloir. Gilbert a fait en sorte de rester le dernier, m'a embrassée sur le front en me disant :

« T'en fais pas, petite tête, et pense à ce que je t'ai dit. »

« Que faire, que faire ? Encore partir, encore une autre expérience ? Je suis vieille et fatiguée. Je n'ai plus le courage de rien tenter. Gilbert est bien gentil mais un peu mou. Si je laisse Paul, il sera incapable de se débrouiller. Il faut que je prenne les responsabilités pour lui. Lorsqu'il jette son paquet de cigarettes sur la table, on sent qu'il se fiche de tout, qu'il ne remuera pas le bout du doigt pour s'en sortir ; il le jette, ce paquet, négligemment, avec dédain. Je sais ce qu'il pense : « Moi, je souffre, moi, je n'ai « pas d'argent, moi, je n'ai pas de pot. » Je suis trop grave, trop sérieuse pour lui, mais malgré ses colères d'enfant, il m'aide encore à vivre. »

Cette constatation m'a révoltée : « Pourquoi n'aimerais-je pas vivre ? pourquoi ne pourrais-je pas partir ? pourquoi laisserais-je cet homme de trente-trois ans crier des soirs entiers sans lui répondre ? Inutile, ce serait un dialogue de sourds. Et Jacques qui ne dit jamais rien, qui ne parle pas de lui, qui, pour rien au monde, ne me donnerait le moindre conseil. » Je serrais ma tête très fort entre mes mains ; j'avais mal. J'ai repensé au suicide, qui me permettrait de me punir de toute ma lâcheté. Au lit, j'ai voulu éteindre la lumière mais les mêmes monstres grimaçants des sommeils de mon enfance se sont approchés. Ils me glaçaient jusqu'aux os. J'ai rallumé la lampe de chevet. Ils ont disparu.

« Ainsi, seule, je ne pourrais jamais connaître l'obscurité, il me faudra des lumières. Je suis donc vouée à vivre avec quelqu'un. Autant vivre avec lui. Je le connais bien. J'accepte ce qu'il est. »

J'ai éteint dès que je l'ai entendu. Il s'est déshabillé dans le noir et a juré en défaisant ses lacets.

Dans le lit, il s'est penché sur moi :

« Tu dors ? »

J'ai simulé un souffle régulier.

« Non, tu ne dors pas. »

Il a essayé de me retourner. J'ai résisté.

« Tu vois que tu ne dors pas puisque tu ne te laisses pas aller. »

D'un bond, j'étais assise sur le lit.

« IL FAUT que je dorme ; j'ai des travaux supplémentaires.

— C'est cela, prends du travail en plus. Abrutis-toi. Il est vrai que ça m'oblige à rester comme un piquet dans la cuisine, car il ne faut pas venir te troubler. Tu as remarqué que depuis quelque temps, ton petit ami ne vient plus aussi souvent. Lui aussi a des travaux supplémentaires. Il t'oublie. Et voilà ! »

Il m'envoyait en pleine face son haleine empestée d'alcool. J'ai pensé à mon père.

« Toutes les grandes amours finissent un jour. Il en a marre de te voir, celui qui n'est pas maigre, qui n'a pas de points noirs et qui ne chôme pas. Il ne chômait que quand tu étais avec lui. Tu lui donnais de l'argent de poche et il allait faire le jeune homme. N'empêche qu'il est resté six mois sans travailler. Je n'en suis pas encore là, moi ! Mais pour l'argent de poche, je repasserai..., oui, je repasserai ma chemise. Est-ce que tu lui as seulement une fois demandé s'il savait repasser ? A lui, non, bien sûr ! Il est si pauvre et si démuni ! Alors, pourquoi pas coucher avec ton électricien myope — qui, d'ailleurs, les

lâchait avec des élastiques — pour l'aider, lui, si
triste, si compréhensif ! Tu vois que je sais tout. Il
pouvait te flatter, bien sûr. Tu étais une vraie mère
pour lui, le gâtant, le bichonnant. J'ai troublé l'amour
de ces deux petits pigeons, hein !

— Tu me fais horreur, tu es méchant.

— Mais oui, je suis méchant ; je mords quand on
me fait mal.

— Moi aussi, j'ai mal.

— Non, car tu ne sais pas avoir mal. Tu es trop
égoïste. Comme lui, d'ailleurs. Le monde peut s'écrou-
ler, vous comprendrez qu'il s'écroule, mais ça ne vous
empêchera pas de vivre bien tranquilles dans votre
coin. Gilbert m'a parlé. Il m'en a raconté de belles
sur toi ! C'est un type droit et honnête, lui. Il t'a
laissée parce qu'il n'avait plus d'argent. Joli boulot,
et c'est moi qui en ai hérité, moi qui ai tous les
défauts puisque je suis chômeur. Ne t'en fais pas,
je te rendrai tout en bloc, quitte à vendre la maison. Je ne veux rien te devoir.

— Mais je ne te demande rien !

— Tu me le fais sentir ! Toi, tu sais très bien toucher les gens en plein cœur. Tu t'y entends pour les
tuer tout doucement, oh ! sans violence. Pas de pardon pour celui qui n'est pas resté à sa place. Mais
méfie-toi de Lartigue, il a plus d'un tour dans son
sac. J'ai été cocu, mais tu l'es maintenant, depuis
huit jours ! Je l'aime et je vais me marier. Hein !
que tu ne t'attendais pas à celle-là. Tu as cru que
j'accepterais toujours les chemises de Marceau, « la
tendresse » qu'il a pour toi. Figure-toi que je vais
me laver de tous les Marceau de la terre.

— Ce n'est pas vrai !

— C'est tout ce qu'il y a de plus vrai. J'ai rencontré la douceur et la chaleur. Je ne vais pas m'en
passer. Elle m'aime, elle !

— Au bout de huit jours ?

— Oui, au bout de huit jours. Il y a des gens qui

ont du sentiment, du don. Ils n'ont pas besoin d'années, eux !

Je me suis mise à pleurer.

— Ah non ! je t'en prie, pas de comédie. Tu
voudrais me faire croire maintenant que tu m'aimes,
alors que tu n'as qu'une réaction d'orgueil. Ma vieille,
il ne fallait pas agir comme ça avec moi ! J'ai trop
souffert et je souhaite que tu paies. C'est ce que m'a
dit Anatole. En douce, je la lui ai présentée et il l'a
trouvée charmante, et autrement intéressante que toi.
Tu sais ce qu'il m'a dit, Anatole ? — « Oui, épouse-la,
« elle en vaut la peine et je te souhaite une autre
« belle-mère que celle que tu avais car, confidence
« pour confidence, elle te traitait de maquereau. Je
« peux bien te dire tout, maintenant que tu vas quit-
« ter cette belle famille. »

— Je vois qu'Anatole a réussi à te faire partir.
C'était son souhait le plus cher.

— C'est ça, analysons. C'est le seul type qui m'ait
aidé à mon arrivée à Paris.

— Et qui t'a tenu au courant.

— Heureusement car, entre nous, tu n'as pas été
très franche. Elle, au moins, a mis tout son passé
sur la table, elle a téléphoné à ses amants, devant
moi, en leur disant que c'était fini.

— Tu es fou !

— Oui, je suis fou maintenant que j'ai rencontré
une fille qui a un appartement et qui peut me loger.
J'ai attendu trois ans et je ne vais pas rater l'occasion. De plus, elle m'aime, elle me l'a prouvé et moi,
je l'aime. Tout est parfait dans le meilleur des
mondes.

— Mais, est-ce que tu me fais marcher ?

— Tu veux que je te le prouve ? Allons demain
matin au bistrot d'en bas ; il y a quatre jours que
j'ai fait mes confidences à la patronne, qui aurait
voulu coucher avec moi, mais j'étais encore assez
poire pour ne pas le faire. Tu verras. Non, ma petite,

assez de sacrifices pour toi. J'en ai soupé des intellectuels. Avec celle-là, au moins, je peux aller écouter
de la guitare, aller manger des moules dans un tro-
quet. Elle sait vivre, cette fille, et elle est caressante.
Elle danse, et en mesure. Elle n'est pas comme toi,
à refuser d'écouter le rythme ; elle aime la société.
D'ailleurs, de quoi te plaindrais-tu ? Tu auras Marceau pour te consoler ; il te donnera à lire *L'Homme
sans qualités*. Ça aussi, je l'avais compris, figure-toi,
l'allusion — comme Anatole, lorsque Marceau lui a
lu la lettre d'un pauvre type qui écrivait à un magis-
trat. Tu sais ce qu'il m'a dit, Anatole ? — « Marceau
« cherche à m'enfoncer. Bien sûr, les gens du peuple
« qui expriment sincèrement leur opinion ont droit
« à la rigolade. Ils n'ont pas d'élocution, ils ne bavar-
« dent pas, alors on s'en moque. Tiens, ça me dégoûte
« de voir ce pauvre type traité de con par un plus con
« que lui ! » Anatole et moi, on n'est pas des intellectuels mais on sait y voir clair. J'aime mille fois mieux
un chic type comme Anatole. Il va jusqu'au bout
quand il estime quelqu'un et il me l'a prouvé, cette
fois-ci : « Vous en faites pas, mes petits, mariez-vous
« et comptez sur moi pour le dîner de mariage. Je
« veux vous aider dans votre bonheur. On n'est pas
« très riches, tous, mais je m'arrangerai pour que
« vous gardiez un bon souvenir de la noce. » Ça, tu
comprends, c'est l'amitié. Tout ce que tu pourras dire
ne me fera pas changer d'avis. J'en sais trop : maquereau pour ta mère, simplet pour Marceau, inutile
pour toi.

— Tu fais les demandes et les réponses.

— Non, mais j'en ai marre que tu sois en sens
unique. C'est drôle, mais elle l'a senti au bout de
deux jours ce que j'étais et elle a tout fait pour moi.
Ce n'est peut-être pas une preuve qu'elle veuille se
marier ?

— Pour moi, non. »

Il m'a regardé, haineux :

« Tu vois, tu recommences. Tu ne veux rien comprendre. Dis aussi qu'elle ne m'aime pas. Je vais te le prouver qu'elle m'aime. On est allé discuter avec Anatole dans un bistrot et, au retour, elle n'a pas voulu que je prenne le volant. Je l'ai laissé à Anatole et je suis allé derrière avec elle, pour la caresser. Elle ne voulait pas se passer de moi. Dis que j'aurais pu le faire avec toi ! Dis aussi que tu t'es approchée de moi lorsque j'étais au volant ! Non, tu regardais par la vitre d'un air ennuyé. Et la nuit, je sais au moins que je pourrai la réveiller. J'ai couché assez avec elle pour le savoir, figure-toi. »

Je continuais de pleurer.

« C'est ça, essaie d'avoir des remords maintenant que tu m'as fait tant de mal. Tu es blessée, hein ! d'être plaquée ! Il fallait t'y prendre différemment, ma petite, tout est de ta faute. Je peux dormir la conscience tranquille, je n'y suis pour rien. Tiens, je lui ai fait lire tes lettres et elle m'a dit que tu ne m'aimais pas. J'ai pris toutes mes précautions et je pars, tranquille, sûr enfin d'avoir trouvé la femme de ma vie. Ce n'est pas trop tôt, car tu m'aurais fait crever. Enfin, il y a quand même beaucoup d'autres choses à régler entre nous. Je n'oublie pas que la voiture est à toi. Or, il faut que je la garde : aujourd'hui on ne demande que des représentants à voiture. J'ai donc pensé que tu pourrais me la vendre contre des traites. Je vais prendre n'importe quel boulot et je te rembourserai. Elle est d'accord sur ce plan : on te remboursera tant par mois.

— Non, parce que je n'aime pas les filles qui volent les hommes sans même se rendre compte de ce qu'il peut en résulter.

— Allons, ne sois pas ridicule ! Ce n'est pas à elle que tu la vends, mais à moi.

— Non, c'est non. »

Il n'a pas admis que son bonheur reçoive le moindre petit à-coup.

« Enfin, sois raisonnable, je te l'achète trente mille francs de plus que l'*Argus*. Ne me laisse pas tomber.

— C'est toi, plutôt, qui me laisses tomber. Tu dois prendre toutes les responsabilités, puisque tu as choisi. »

Il a repris son air haineux :

« Et comment, que j'ai choisi ! Entre ce qu'elle m'apporte et ce que tu m'as donné, personne n'hésiterait. »

La pensée subite que la voiture s'envolait lui a fait adopter un ton persuasif :

« Ne t'entête pas ; tu me mets dans le bain en refusant. Je peux bien sûr lui demander d'emprunter ; elle m'aime assez pour le faire, mais ça me gêne, et puis je ne voudrais pas être assujetti à elle. Après tout, si ça ne va pas, je m'en irai. Je ne ferai pas comme avec toi. Elle a besoin d'être matraquée, c'est elle qui me l'a dit, et si elle a divorcé c'est parce que son mari ne la matraquait pas. Mais moi, je m'en charge de la matraquer, et bien.

— En faisant son ménage toute la journée, au lieu de chercher du travail. »

Son visage s'est décomposé. J'avais tapé dans le mille. Mais il a nié avec une vigueur suspecte :

« Comme tu imagines bien les choses qui t'arrangent ! C'est ça, brode bien ; tu te feras plaisir en décrétant que je suis un fainéant. Tu vois que je ne peux pas vivre avec toi. »

Sa voix, à nouveau, s'est adoucie :

« Mais tu es quand même la petite fille de mon enfance. Je te dois beaucoup de remerciements ; tu m'as apporté des choses et je t'en serai toujours reconnaissant. Tu sais, je t'aiderai de toutes mes forces pour tout ce que tu voudras.

— Alors, reste !

— Non, c'est la seule chose que je ne peux pas faire. Je me suis engagé avec elle ; elle m'a présenté son frère, qui est très gentil. Tu vois que je ne peux pas reculer ; et puis, non, il y a trop de choses entre nous. Marceau, je ne l'effacerai jamais. Eve et sa connerie, pas davantage. Mais je viendrai te voir, parler avec toi. J'aime tant, au fond, quand tu parles. Elle n'est pas si intelligente que toi, mais c'est son charme ! C'est ridicule de parler de pétillements, mais cette fille, elle me procure des pétillements. Et puis, tu sais, au fond, peut-être que je reviendrai. Est-ce qu'on sait, dans la vie ? C'est pourquoi je te demande de bien comprendre au sujet de la voiture. Elle m'est indispensable pour travailler. »

Il a conclu, d'un ton de regret indicible :

« Ah ! si j'avais de l'argent... »

Je me suis décidée :

« Non, pas de voiture. C'est plus fort que moi. Je n'aurais pu la donner qu'à une condition, c'est que tu partes seul, dans une chambre d'hôtel, en me disant que tu ne me supportais pas. Mais pas comme ça. »

J'ai réfléchi :

« Je peux encore faire quelque chose, c'est emprunter cent mille francs pour te dépanner.

— Oui, fais-le, parce que je me demande bien comment je vais pouvoir m'arranger. Je ne veux pas te charger, mais tu n'es pas vivable. Discutons une bonne fois. Qu'est-ce que tu trouves sympathique ? La musique, peut-être ? Même pas ; soi-disant la classique, mais le jazz ! quelle horreur ! musique secondaire ! Et voilà. Moi, j'aime le jazz, elle, aime le jazz ; moi, j'aime danser, elle, aime danser. Je voudrais un piano et elle s'est proposé immédiatement pour m'en acheter un. Mais toi, même en admettant que j'arrive à m'en payer un, qu'est-ce que tu aurais fait ? »

J'ai ouvert la bouche.

« Non, non, écoute plutôt la vérité. Tu me l'aurais balancé par la fenêtre. Mais si Marceau avait voulu un piano, tu aurais trouvé ça très bien. Comme c'est un génie, il aurait eu des doigts de génie. Tu te serais foutue en extase. — « Très bien, mon Pilou, continue, « je suis ravie. » Et si moi, je tape un rythme avec une fourchette, tu prends l'air excédé. Tu ne m'as jamais aimé, et j'ai appris à ne plus t'aimer. Oui ! tu peux me regarder avec tes yeux grands comme des soucoupes, c'est comme ça et il faut bien te le mettre dans la tête. Je ne raterai jamais mon bonheur pour toi. C'est fini, fini ! Tant pis si je me casse les reins, j'aurai fait ce que je croyais bon pour moi et c'est le principal. »

Un petit jour gris et sale se levait, aussi triste que moi. C'était le vrai gouffre. J'ai pensé à la mort, j'ai vu défiler, devant moi, des petits cachets blancs.

J'ai essayé de me raccrocher.

« Je comprends bien, mais essaie de penser que tu m'emportes avec toi. Tant que j'ai eu une carapace, j'ai pu vivre, mais maintenant je suis mise à nu. Je n'avais pas beaucoup le goût de vivre et tu me l'enlèves complètement. T'expliquer pourquoi tu m'aidais à vivre, ce serait trop long et ce n'est pas le moment. Ce n'est pas ma faute si je suis faite comme ça, mais il n'aurait pas fallu me toucher. Toi, tu es un petit papillon, tu ne sais pas réellement souffrir, mais si tu savais ? »

Subitement, je me suis tue. Ce n'était pas la peine. Le sentiment de devoir payer a été le plus fort.

Il préparait ses affaires en les empilant pêle-mêle dans ma valise. Il a fait le tour de la pièce.

« Je crois que je n'oublie rien. Enfin, puisque je reviendrai te voir... »

Il a reposé la valise.

« Si j'avais du courage, je ne partirais pas. »

Je me suis mordu les lèvres pour ne pas crier « Reste ! », mais le fait seul d'imaginer qu'il aurait des regrets et me reprocherait d'avoir empêché son bonheur m'a retenue. Je ne m'en sentais pas le droit.

Il est parti sans tourner la tête.

QUATRIEME PARTIE

J'ESSAIE de vivre mais si les jours sont vivables, les nuits ne le sont pas. Ma tête éclate, les fantômes me poursuivent, même avec la lumière allumée.

Une nuit, j'en ai senti un qui tirait ma chemise de nuit. Il me l'a trouée. C'est vrai, elle est trouée. L'un d'eux a crié et s'est abattu sur moi. J'ai senti son poids qui m'étouffait et je me suis enfuie dans le couloir. Il m'a acculée tout au fond du couloir et il a ricané : « Du remords, ma vieille, du remords. »

J'ai regagné la chambre, les rideaux se sont gonflés et ont tinté une musique de cloche mortuaire. Sous le sommier, on haletait. Les tableaux de Jacques se déformaient, ils devenaient d'un noir d'encre. Mes pieds fourmillaient. J'ai rejeté les couvertures mais on m'a agrippé les jambes. Du revers de la main, j'ai écarté la sueur qui est tombée en ronds blêmes sur l'oreiller. J'ai tiré plus fort et me suis libérée et j'ai couru tout autour de la pièce comme une folle.

Je sens qu'on va me tuer, je sais que je vais mourir et j'ai peur. J'ai fermé les yeux mais, horrifiée, je les ai ouverts à nouveau. IL s'est approché, là, tout près. Je l'entends et...

« Et alors ? a demandé Eve, dès qu'elle a ouvert la porte à Jacques.

— Et alors, je l'ai trouvée au petit matin dans un coin de la chambre, coincée entre la commode et une chaise. Elle essayait de cacher une lettre. Je me doutais de ce qui allait arriver. Elle n'aurait jamais dû rester seule. »

Eve l'a interrompu :

« Je lui ai dit de venir habiter à la maison.

— Moi aussi, mais elle refusait si violemment que je n'ai pas insisté.

— Qu'est-ce qu'elle t'a dit ?

— Elle ne m'a pas reconnu. Il a fallu que je lui parle pendant près d'une heure mais elle ne voulait pas que je l'approche. Je me suis donc assis près de la table. C'était affreux. Elle se méfiait de moi et hurlait dès que j'esquissais un geste. J'ai essayé des mots d'autrefois. Elle faisait de grands efforts comme si ça lui rappelait quelque chose. Elle s'est levée en poussant la chaise devant elle comme pour se protéger et elle a approché lentement. Par-dessus le barreau de la chaise, elle a touché mon bras mais elle n'a pas abandonné la lettre. Je n'ai pas bougé, elle a paru rassurée. Il me serait infiniment pénible de te raconter par le menu détail comment j'ai pu l'emmener chez un ami psychiatre. Il n'a pas voulu s'en charger et m'a assuré que, du moins pour l'instant, il me conseillait un transfert à Sainte-Anne. Le plus dur a été de l'abandonner. Elle me tenait par la main et me suivait comme un toutou.

— Et la lettre ? dit Eve.

— Une lettre de Paul, qui lui demandait cent mille francs parce qu'il ne pouvait arriver à obtenir de l'argent pour le cautionnement d'une voiture achetée à tempérament.

— Quel salaud !

— Ne jugeons rien. Tout est bien difficile. Vois-tu, il y aurait beaucoup à dire. Tout cela, elle l'a d'ailleurs résumé elle-même lorsque je l'ai quittée :

« Pilou, ils disent que je suis folle, mais je ne le « suis pas. »

IMPRIMÉ EN FRANCE PAR BRODARD ET TAUPIN
6, place d'Alleray - Paris.
Usine de La Flèche, le 20-10-1969.
1563-5 - Dépôt légal n° 8726, 4e trimestre 1969.
LE LIVRE DE POCHE - 6, avenue Pierre 1er de Serbie - Paris.
30 - 11 - 2662 - 01